LA SENDA

Copyright © 2015 Borges Center
Published by the Borges Center
Daniel Balderston, Director
María Julia Rossi, Co-Editor
María Celeste Martin, Book and cover design

1309 Cathedral of Learning
University of Pittsburgh
Pittsburgh PA 15260 USA

phone: 412.624.1206
fax: 412.624.8505
email: borges@pitt.edu
webpage: www.borges.pitt.edu

ISBN: 978-0-9907292-1-1

JORGE GUILLERMO BORGES

LA SENDA

INTRODUCCIÓN Y NOTAS
Daniel Balderston y Sarah Roger

TRANSCRIPCIÓN Y EDICIÓN
María Julia Rossi

BORGES CENTER
UNIVERSITY OF PITTSBURGH

Índice

Introducción
Daniel Balderston

CRÍTICO RADICAL DE LA SOCIEDAD, el abogado y profesor Jorge Guillermo Borges (1874–1938) es consecuente consigo mismo en estas páginas, que dejó inéditas. A Jorge Guillermo le gustan las mayúsculas. Escribe sobre la Vida, la Realidad, el Yo, la Justicia, el Joven, el Estado. Su ambición intelectual se vislumbra en estas mayúsculas: espera encontrar una Senda que podrán seguir otros. Su misión pedagógica —expresada en su labor de años de profesor en el Instituto de Lenguas Vivas— se expresa fuertemente en este texto.

Sus lecturas se pueden rastrear a través de las referencias a Shakespeare, a Johnson, a Kant, a La Rochefoucauld, a Spencer, a Schopenhauer, a Taine. Cita la Biblia a menudo —recordemos que su madre era metodista y la conocía de memoria— pero la califica de mito (y a Dios de "prejuicio"). Es librepensador, defensor del suicidio, pesimista. A la vez, expresa su convicción de que el individuo puede forjarse "su propia filosofía a medida que el tiempo y las circunstancias lo impulsan por el solo camino que puede y debe seguir". Aboga por la tolerancia religiosa y la tolerancia social. Piensa que los libros contienen una plenitud de la que carecen sus autores. Defiende el fracaso: la última frase del libro contiene las palabras "sufrida", "fracaso", "confuso" y "discordante" (refiriéndose a la vida, "la obra sufrida", en contraposición a "la obra escrita", el libro). Creo que en estas cualidades negativas ve algo positivo: la posibilidad de forjar algo nuevo.

En 1920 Jorge Guillermo Borges publicó en la revista española *Gran Guignol* (donde su hijo publicaría también varios escritos tempranos) un texto que se titulaba "Hacia la nada". Dicho texto parece haberse perdido —incluso la hoja correspondiente está arrancada de los juegos de esa revista que tienen una colección en Buenos Aires y la Biblioteca Nacional de España— pero por el hecho de que la frase aparece dos veces en este libro puede ser algún fragmento de él. Los ecos del pensamiento expresado en *La senda* se encuentran en numerosas páginas de *El caudillo*, que también expresa un gran escepticismo y pesimismo con respecto a la Realidad y la Vida, como escribe aquí.

Este libro —que habría de llamarse *La senda*— ha esperado casi cien años para poder publicarse. Lo escribió Jorge Guillermo Borges Haslam en Ginebra en 1917 pero por motivos ignotos permaneció inédito, a pesar de que su autor publicara su única novela, *El caudillo*, cuatro años después en Mallorca y de que publicara varios poemas en esos años (que publicamos en un apéndice). Al parecer, pidió el visto bueno de su amigo Macedonio Fernández y éste se lo dio en un par de líneas muy borrosas que todavía pueden leerse en nuestras fotocopias: "Pudor de optimismo.[1] Tiene la fuerza de una idea de Nietzsche. Vale por todo el libro".

Las fotocopias que manejamos se hicieron a su vez de una fotocopia que hizo Donald Yates en Buenos Aires en 1968. Leonor Acevedo de Borges le permitió fotocopiar el manuscrito inédito, cuyo paradero actual se desconoce, si es que sobrevive. Cuando Yates le pasó una copia de su copia a uno de los sobrinos del autor, Miguel de Torre Borges, éste le contestó una larga carta efusiva, diciéndole que al leerlo había podido por esta vía conocer a su abuelo, que murió en 1938 un poco antes de que él naciera.

Es un manuscrito filosófico que versa sobre varios temas, siendo el más importante la intromisión del Estado en la vida individual. Como tal, es prueba de lo que siempre decía Jorge Luis Borges del anarquismo filosófico de su padre, pero ahora nos permite ver directamente que las reflexiones de Borges padre, influidas por el pensamiento de Spencer y de Schopenhauer, no se vinculaban con los movimientos anarcosindicalistas, tan fuertes en esos años en la Argentina, sino con un pensamiento más abstracto sobre las maneras

---

[1] Macedonio se refiere al apartado sobre el optimismo, página 40.

en que la vida social debe autogestionarse de modo libre, sin dogmatismos religiosos ni políticos. Igual que en otros pensadores anarquistas de la época, el tema social se vincula con el del amor libre[2] y una reflexión pedagógica sobre la necesidad de cultivar en los hijos una sensación de libertad. Esta idea, que se podría pensar como crueldad para con los hijos (y así lo ve Donald Yates), subraya la radicalidad de la reflexión sobre la autonomía de las personas, tanto en la familia como en la sociedad.

Luis Othoniel Rosa, que está por publicar un libro sobre el anarquismo en Macedonio Fernández y Jorge Luis Borges, *Comienzos para una estética anarquista*, afirma que lo esencial del "anarquismo estético" de los dos escritores gira en torno a un cuestionamiento del individuo (lo que llama una "sensibilidad ayoica"), una falta de creencia en la originalidad y un radical escepticismo con respecto a la propiedad privada. Estudia a fondo un manuscrito inédito de Macedonio, *El libro de sí mismo*, que parece asemejarse en su temática a *La senda*. El libro de Borges padre, según nos ha escrito Rosa, refuerza el vínculo filosófico entre los proyectos literarios de Macedonio, compañero de estudios de Jorge Guillermo Borges en la Facultad de Derecho, y los de su hijo, el futuro escritor. Sin duda es importante ponerlo en circulación ahora, tanto por su interés intrínseco como por la luz que puede arrojar sobre los proyectos futuros del hijo, notablemente los cuentos "Tlön, Uqbar, Orbis Tertius" y "El Congreso", que retoman temas caros a Macedonio.

Borges hijo dice en el "Ensayo autobiográfico" que su padre solía decirle que mirara con atención las instituciones sociales del mundo —las escuelas, las iglesias, las comisarías, los tribunales— porque todo eso iba a desaparecer. En *El caudillo* enfoca los esfuerzos de un joven idealista, Dubois, por reformar la vida rural argentina. La inquietud social de Jorge Guillermo se expresa fuertemente en este manuscrito también, sobre todo en sus reflexiones sobre los modos de educar a los niños en libertad.

Para complementar el texto de *La senda* hemos decidido publicar los poemas de Jorge Guillermo Borges que reunió la investigadora canadiense Sarah Roger para su libro *Borges and Kafka: Sons and Writers*, que publicará Oxford University Press en 2016. El libro de Roger incluirá traducciones de esos poemas y un extenso comentario sobre

2 Su concepción de "amor libre" no participa de la idea de igualdad de los amantes (como en otros pensadores anarquistas de la época), sino que está marcada por una fuerte misoginia: la mujer está siempre sujeta al hombre. Ver *Amor libre, eros y anarquía* de Osvaldo Baigorria.

su lenguaje y versificación; los poemas permiten entender más a fondo el proyecto literario fracasado de su autor. Se nota una interesante afinidad entre el título de este libro y sus versiones de los Rubaiyat, por ejemplo esta estrofa (entre otras):

Los astros arrojaron en la Senda
de la Vida, su Sombra y su Pesar
En la Senda las Piedras están listas
donde los Pasos tropezando van.

La novela de 1921, *El caudillo*, está disponible en dos ediciones: la de la Academia Argentina de Letras de 1989, con prólogo de Alicia Jurado, y la de 2009 de Editorial Mansalva, con postfacio de Silvio Mattoni. Con la presente publicación se rescata la parte invisible de su producción intelectual.

Esta edición de *La senda* (y de los poemas de su autor) se suplementará pronto con una edición facsimilar que publicará la Biblioteca Nacional, que se ha interesado en reeditar obras de principios del siglo XX —el libro de Lugones sobre Roca, las obras teatrales de Salvadora Medina Onrubia, algunas obras de José Ingenieros, entre otros— que ayuden a la mejor comprensión del pensamiento argentino de la época. Esa edición incluirá un facsímil del manuscrito (mejor dicho, de la fotocopia que sobrevive del manuscrito), una transcripción diplomática completa y notas. Esta edición se basa en la transcripción que hizo María Julia Rossi del texto, pero sin un aparato crítico que aclare las muchas tachaduras e inserciones. La edición de la Biblioteca Nacional incluirá una edición facsimilar del manuscrito y un aparato crítico más exhaustivo; aquí nos parecía importante poner en circulación un texto lo más limpio y legible posible. Hemos incluido unas pocas notas de pie de página para aclarar referencias, sobre todo a lecturas inglesas. Este texto demuestra —más que *El caudillo*— los fuertes vínculos de Jorge Guillermo a la tradición inglesa, cosa que era esperable dado que él y su hermano Francisco se criaron en una casa de habla inglesa, ya que su madre Fanny Haslam de Borges mantenía una pensión para profesoras norteamericanas después de la muerte de su esposo, el coronel Francisco Borges, en 1874.

Nota al texto
María Julia Rossi

EL TEXTO QUE SE REPRODUCE a continuación proviene de un original dactilografiado de 105 páginas numeradas por el autor, con profusas enmiendas y adiciones manuscritas. El prólogo, de cuatro páginas ordenadas con números romanos, se titula "Al margen". Se compone de varios párrafos sucesivos, con un extenso segmento añadido a mano, en cuya última página se señalan lugar y fecha de composición —"Ginebra, 1917"—, posteriormente tachados. El texto de *La senda*, en cambio, está paginado con números arábigos —en su mayor parte dactilografiados— que llegan hasta el 99 (hay dos páginas denominadas "84bis"). Se compone de textos cortos, separados por una combinación de asteriscos y guiones primero y luego sólo por guiones o rayas a mano o a máquina. Ambas maneras de señalar intervalos se reemplazan en esta edición por un símbolo unificado.

Las adiciones autógrafas se ubican, en su mayor parte, en los márgenes del texto dactilografiado o, cuando la extensión lo requiere, en el reverso de la carilla anterior. En este último caso, una cruz manuscrita, que se repite en los fragmentos añadidos, marca el lugar donde insertarse el segmento correspondiente. Cuando los agregados ocupan carillas completas llevan el número de página correlativo con indicación de "bis". La colocación, por ende, es bastante inequívoca; esto permite a su vez que el libro entienda la secuencia de la composición.

La fijación del texto no ha presentado inconvenientes mayores. Se trata de un original considerablemente nítido, de transcripción fluida y organicidad manifiesta (la letra manuscrita es clara y las enmiendas son consecuentes). Esto invita a pensar en una versión próxima a la publicación. Cabe señalar, sin embargo, que la calidad de algunas de las copias con las que hemos trabajado supuso dificultades para una transcripción certera. Así, fue necesario reponer algunas letras faltantes, por lo general ubicadas cerca de los márgenes; estas palabras pudieron reconstruirse sin ambigüedades gracias al contexto.

Las dificultades más significativas, que ponen en duda una versión definitiva, están indicadas en el texto mismo. Entre ellas, las más evidentes son dos: la primera, sobre el final del manuscrito, es una oración cuya lectura es incierta. La segunda, en cambio, atañe a la ubicación de una carilla dactilografiada con una adición manuscrita en el reverso. Si bien en la copia utilizada se encontraba entre las páginas 54 y 55 (58 en esta edición, donde consignamos este hecho con una llamada), su contenido no guarda relación con los temas tratados allí. El contenido de la página en cuestión (el último segmento es el manuscrito):

๛ Toda la lógica confortante que pudo decirnos "tu aflicción es vana", "tu voluntad esclava", "tal como has obrado debiste fatalmente obrar" desaparece avergonzada ante la realidad del dolor que nos aflige y nos reprocha. La vejez no cae sobre nosotros en cansancio ni canas, estos son los símbolos externos y engañosos de un mal que empieza cuando la paz interna se conturba.

๛ Si el rezar te consuela reza por tus pecados y los pecados del mundo. Cualquier altar o dios es bueno si tus rodillas se hunden en polvo de contrición. Si el tiempo ha borrado de tu memoria las sencillas palabras maternales, reza en silencio, tu sentimiento es canto, música y plegaria.

๛ Juzgar de un carácter cuando el amor o la ira o cualquier otra pasión fundamental le imprime su egoísmo deformador, es caer en el más seguro de los errores. La capacidad de sentir hondamente no es por cierto una condición despreciable, pero en el trance de una gran pasión, todas las perspectivas morales, por decirlo así, se borran o deforman presentándonos una imagen que guarda muy escasa relación con el individuo, tal cual es en la vida normal. Las tendencias de uso común son las únicas que revelan los rasgos verdaderamente interesantes y por los cuales se le ha de juzgar en definitiva.

❧ Sólo en la acción puede buscarse el contentamiento.

❧ La memoria de la Amistad es frágil, la ciencia de su responsabilidad es leve. No pretendamos de ella sacrificios superiores que si alivian la carga propia aumentan la carga ajena.

Por regla general, se han respetado las mayúsculas del autor y la mayor parte de los signos de puntuación, excepto donde era imprescindible modificarlos para asegurar la claridad del texto. Asimismo, hemos adecuado la ortografía a criterios actuales. Entre los cambios realizados, uno frecuente atañe al uso de las letras "g" y "j"; vale la pena señalar que Jorge Guillermo firma su manuscrito "Jorge Borjes" y adopta de modo parcial la reforma ortográfica propuesta por Andrés Bello y seguida (entre otros) por Domingo Faustino Sarmiento. Hemos aplicado el mismo criterio para los restantes textos dispersos de Jorge Guillermo Borges que se reproducen en apéndice (con excepción de la puntuación en los textos publicados originariamente en *Proa*, donde las intervenciones son mínimas). Estos textos fueron recopilados por Sarah Roger.

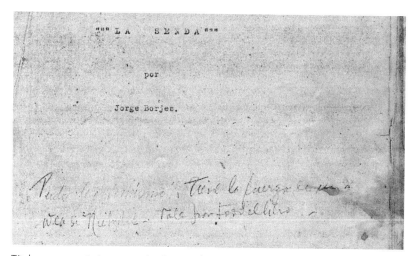

Título con comentario manuscrito de Macedonio Fernández, que acaso diga:
"Pudor de optimismo; tiene la fuerza de una idea de Nietzsche. Vale por todo el libro".

El vivir ~~nos es~~ ~~ser~~ *no es* *ni* arte o ciencia, y a Vida ~~en-sí-mismo~~ *que* ~~es~~ lo es. Resulta de condiciones que no hemos creado, que nos han sido impuestas y cuyo origen y significado dan margen a meras conjeturas. Sobre su enigma básico el hombre de la calle y el filosofo miden una comun ignorancia. Alli donde el pensamiento se detuvo hace mas de dos mil años en el cerebro griego nos encontramos hoy. Sabemos si que Descartes propicia el dualismo, Espinoza *un* ~~el~~ monismo *panteista*, que Kant ha separado lo aparente de lo real y muchas otras cosas igualmente interesantes y enmarañadas. La metafisica ha caido en descredito, mas el conjugar la Vida en todos sus tiempos, modos, numeros y personas es la suerte comun. No tenemos la menor sospecha ni de donde venimos ni a donde vamos ni cual es el significado real de la marea humana que ritmicamente generacion tras generacionse levanta barre y muere en las playas del ~~mar~~ *ser*. Es posible que alguna de las tantas religiones que á la vez unen y dividen las creencias contengan soluciones aproximadas si no toda la Verdad, ~~sea al menos la lenta elaboracion de ...~~ *su* ~~...~~ *en el tiempo* persistencia es consoladora y sobretodo significativa ~~por absurdas que ...~~. El espiritismo que se acerca mas a un arte que a una religion y no es por el momento ninguna de estas ~~de~~ cosas, ~~tiene un ...~~ *carece de* ~~...base~~ filosófica, limitandose a la constatacion de fenomenos no ligados entre si por una teoria ~~intelectualmente~~ aceptable. Esta es un defecto

LA SENDA

AL MARGEN

El vivir no es arte ni ciencia —es a menudo una estúpida majadería—.
La Vida no sabemos lo que es. Resulta de condiciones que no hemos
creado, que nos han sido impuestas y cuyo origen y significado dan
margen a meras conjeturas. Sobre su enigma básico el hombre de la
calle y el filósofo miden una común ignorancia. Allí donde el pensamiento se detuvo hace más de dos mil años en el cerebro griego
nos encontramos hoy. Sabemos sí que Descartes propicia el dualismo,
Espinoza un monismo panteísta, que Kant ha separado lo aparente de
lo real y muchas otras cosas igualmente interesantes y enmarañadas.
La metafísica ha caído en descrédito, mas el conjugar la Vida en todos
sus tiempos, modos, números y personas es la suerte común. No tenemos la menor sospecha ni de dónde venimos ni a dónde vamos ni cuál
es el significado real de la marea humana que rítmicamente generación tras generación se levanta, barre y muere en las playas del ser. Es
posible que alguna de las tantas religiones que a la vez unen y dividen
las creencias contengan soluciones aproximadas si no toda la Verdad.
Su persistencia en el tiempo es consoladora y sobre todo significativa.
El espiritismo que se acerca más a un arte que a una religión y no es
por el momento ninguna de estas cosas, carece de base filosófica, limi-
tándose a la constatación de fenómenos no ligados entre sí por una
teoría aceptable. Éste es un defecto común a todas las explicaciones

del enigma de la vida que han de llenar si pretenden satisfacernos la triple exigencia que les impone la razón, la moral y la estética, cada una de las cuales considera el problema de su punto especial de vista, y le niega su apoyo si no la acompaña en la plana medida de sus propias aspiraciones.

No podemos descartar la posibilidad de que todas estas cuestiones carezcan de sentido, que encierren lo que algunos llaman *non-sensus*, que sean preguntas formuladas por ese afán incesante de armonía que apone el orden al desorden y no logra nunca aquietar la confusión, es posible también que la Vida carezca de rumbo o sea como creía Renan una espléndida tragicomedia en que se lucha, goza y sufre para solaz de las horas aburridas del creador. La experiencia, el saber, la regeneración moral tienen y han tenido partidarios y detractores igualmente sinceros y elocuentes. El hecho es que cada uno es muy dueño de interpretarla a su modo. Ciencia y conciencia hallarán en su rostro de esfinge la verdad o la mentira, y en su trágica mudez motivos de aliento o desaliento.

Estas páginas tienen el mérito dudoso de una irreverente sinceridad —no buscan de profeso ni el aplauso ni el oprobio—, se conforman de todo corazón al gusto propio, rozan la superficie cambiante de la eterna corriente tal como ha sido espejada en un alma que no es ni sabia ni fuerte y por eso mismo quizá tan intensamente humana en los límites más generosos de la palabra. Quien dice sinceridad dice también Verdad no en el sentido de una visión clara y profunda sino más bien a título de copia exacta de impresiones reales porque fueron sentidas, cada una de ellas el resultado de circunstancias que dejaron un rastro seguro en la conciencia. Encierran en síntesis la trama de una vida en su forzada vagancia. Buenas o malas son las únicas espigas que en el vasto campo de la experiencia tocole en suerte. Cubren el plano de experiencias que no por ser propias dejan de ser ajenas ya que toda vida es copia trágica y repetición estúpida de otras vidas, sobre todo en condiciones similares de cultura y tiempo y porque si bien es cierto que cada uno piensa y siente a su manera y en carne viva, hay en el sentir prejuicios y modas que dan fe de las tendencias generales de una época. No revelan un plan armonioso ni apoyan una tesis cualquiera porque el autor no halló en sus horas ni lo uno ni lo otro y hallándolas contradictorias y peor compaginadas mal pudo contar en su haber las cualidades que a éstas le son opuestas. Para lograrlas hubiera sido necesario colocarse en un plano central retrospectivo ya que las impresiones de cerca y del momento no se prestan a rigideces armónicas, actitud que adoptan cuando aquietan sus mutuas resistencias tras un largo período reflexivo.

Hubiera sido conveniente tal vez embanderarlas en uno de esos tantos sistemas en que las opiniones y sobre todo los temperamentos se agrupan, sustrayéndolas así al impulso desordenado del momento, pero entonces ya no hubieran sido lo que son: impresiones espontáneas nacidas al calor de emociones cuya fuerza es en cierto modo la medida de su verdad. Las concepciones intelectuales tienden al orden, son conservadoras por naturaleza, se alinean simétricamente con la fácil euritmia de las columnas de un templo griego. En cambio aquellas cuya fuente emocional fue grande nacen rebeldes y es ingrata tarea disciplinarlas.

Y ahora para terminar, vaya esta confesión a manera de descargo: el amor a la lectura y la intimidad de los libros facilitan asimilaciones que si enriquecen y fortifican el espíritu, también le visten en ropajes que no fueron prístinamente suyos. Autores hay que leídos y releídos son gramática de modo de sentir y de pensar. Mal pudo entonces abandonarlo quien al mirar la Vida amontonó estas páginas y no supo siempre en citas salvadoras distinguir entre lo propio y lo que fuera por reflejo asimilado. Es por demás sabido que nadie escapa al erudito que de intento, en el fondo o la forma, busca el plagio. —Sea— y corramos al refugio de esa línea admirable en que William James refiriéndose a su obra dice: todo lo que hay en ella de majadero es mío, lo demás ajeno.

Ginebra 1917.

꩜ El dilema de Hamlet es un resorte dramático, se escuda en el Arte y no en la Realidad. Ser y siempre ser es la divisa que la vida estampa en todos sus actos. Puede concebir la ausencia de cualidades que le pertenecen, puede copiar las actitudes de la muerte, puede seguir momento por momento el proceso que se inicia con el vuelo azul de la Lucilia Caesar,[3] puede crear en torno suyo el vacío y el olvido pero ha de hacerlo con jirones de su propia vestidura. Cuando se acerca a una tumba siente su propio frío, cuando toca un cadáver la sensación y el espanto son suyos. Es un absurdo creer que la Vida tendrá jamás para la muerte una sola mirada comprensiva. La misma creencia en la existencia de un dominio contiguo y opuesto al único dominio que conocemos iluminado por la conciencia es una mera inferencia discutible. La razón, para el tiempo y el espacio, no exige un no-tiempo; un no-espacio por el contrario sólo puede concebirlos como líneas infinitamente extendidas. Donde no alcanza la luz comienza la sombra pero la Vida es la única realidad que jamás compenetramos y si existe una región donde ella no logre extender su imperio, ¿cómo es posible que nosotros que formamos parte de su corriente invadamos esa región? Aquello de que algún día nos hallaremos frente a la Dama enlutada, a la muerte, al no ser, es retórica creada a manera de espantajo para excitar las cuerdas

---

3   La mosca común verde, de la familia de los califóridos.

23

de emociones que traducen aun en sus notas más lúgubres y tristes un solo canto triunfal, el de la Vida.

꠸ Nuestra inteligencia, esencialmente práctica, sólo abarca lo simple y lo concreto. Su dominio es en el mundo sensorial. El diario vivir y los problemas resueltos en la acción marcan las fronteras de su capacidad comprensiva. Su autoridad no se extiende más allá del terreno penosamente recorrido por la experiencia y la conoce sólo en cuanto facilita u obstruye los resortes de una acción que tiende a satisfacer ante todo las necesidades apremiantes de la Vida. Cuando pretende a lo conceptual y abstracto se aleja de la tierra conocida y sus verdades familiares para perderse en un dibujo de palabras enigmático y absurdo, de palabras que no se acercan al pensamiento de la Realidad.

```
Cuando pretende a lo conceptual y abstracto se aleja de la
tierra conocida y sus verdades familiares para perderse en
un dibujo              enigmatico y absurdo, de palabras
una niebla de palabras que se acerean de significado inmediato
que no se acercan al
ya que no transmite el pensamiento cómo de la Realidad.    La
```

La Realidad en sí misma es tela de una trama tan compleja que el mayor esfuerzo intelectual sólo puede discernir en ella los hilos más salientes. Estos hilos son arbitraria o necesariamente elegidos como esenciales y representativos y los demás se ven interpretados a su vez como dice William James por sus elementos más obvios y sencillos. Es por esto que nuestra inteligencia cuando refleja la complejidad refleja la confusión y el universo reconstruido así resulta puramente un esbozo personal y artificioso porque es labor de un instrumento que aplica sus propias limitaciones y medidas a todas las cosas. La riqueza multiforme e infinita del todo no cabe en la estrechez de sistemas estáticos, reducciones absurdas de una inmensidad irreductible, dinámica y cambiante, que hoy afirmara verdades desmentidas mañana en su marcha incesante hacia destinos y nadas desconocidos.

꠸ Acercarse a un corazón humano para encender esperanzas destinadas a ser sofocadas es obra de Judas y sin embargo tal es la suerte de la inmensa mayoría de nuestros arrebatos afectivos. Conciente o inconscientemente la mentira los infiltra. Nos referimos al amor, el más raro de los dones, su precio no es nunca exorbitante aun cuando se pague con todas las lágrimas de una vida trunca sino a la máscara bastarda que cubre el rostro de emociones cuya desnudez suscita sólo compasión y repugnancia. La moneda ofrecida a la pintada mujerzuela que en la calle expande su mercancía de fáciles placeres es santa y noble comparada con el engaño que nos lleva a los brazos de la mujer confiada.

※ Conocemos a menudo la busca de la felicidad, rara vez la felicidad misma.[4] Si al perseguirla la alcanzamos de seguro absorbidos por el afán de la empresa pasamos de largo sin reconocerla. Después en la vigilia retrospectiva pensamos —si era ella— y el recuerdo nos amarga en inútiles reproches. Pero la busca fue buena —es conveniente creerlo— en la plenitud de esfuerzo, en la astucia de los medios, en la emocionante vivacidad de los deseos y si no dimos con ella, dimos al menos con su olvido. La felicidad o lo que queda de ella cuando se la traduce al lenguaje práctico de la Vida es de nobilísimo abolengo pues

-※-※-※-※-※-※-

Conocemos amenudo la busca de la felicidad, rara vez la felicidad misma. Si al perseguirla la alcanzamos de seguro absorvidos por el afan de la empresa pasamos de largo sin reconocerla. Despues en la vigilia retrospectiva pensamos - si era ella - y el recuerdo nos amarga en inutiles reproches. Pero la busca fue buena *es conveniente creerlo—* en la plenitud del esfuerzo, en la astucia de los medios, en la emocionante vivacidad de los deseos y si no dimos con ella, dimos al menos con su olvido.

La felicidad o lo que queda de ella cuando se la traduce al lenguaje practica de la Vida es de nobilisimo abolengo pues es mas a menudo es herencia de abuelos sanos y laboriosos que obra de una conquista personal.

-※-※-※-※-※-※-

---

4 Aquí el autor insertó una nota manuscrita que dice: "no".

más a menudo es herencia de abuelos sanos y laboriosos que obra de una conquista personal.

꙰ Hace siglos que al margen de la mujer teje el mundo sus fábulas más hermosas. Por hidalga mentira, por ser madre, esposa, hermana o hija la visión percibe como a través de una pantalla engañosa en que todos los defectos se atenúan y los méritos brillan acentuados. Su imagen intensamente coloreada goza privilegios de símbolo. Su culto es anterior al culto de los dioses. Es el tema predilecto del Arte, llena casi exclusivamente los dominios de la estatuaria y la poesía. La marea de nuestras pasiones más fuertes hierve en torno de ella, ya se la adora en el altar, ya se la explota en el taller y la mancebía. Odios y amores la barren, ha sido calumniada, mimada, idealizada, la labor humana crea para su adorno sus más espléndidos tesoros y sin embargo no la conocemos porque jamás ha sido objeto de un estudio desapasionado y frío. Existe una naciente psicología infantil pero no hay una sola página de psicología femenina que haya sido escrita con un espíritu verdaderamente iluminativo y científico.

꙰ La juventud no atesora, derrocha; no reflexiona, obra; gasta alegremente y vive al día y si tiende una mirada interrogante al futuro descubre un campo de fáciles realizaciones cuyas espigas de oro son relucientes monedas o fulgor de cabelleras rubias. Para la vejez toda mirada comprensiva es dolorosa, aun cuando la inteligencia fuera capaz de reflejar intacta la visión de un mundo en decadencia. El temor al no ser y los afanes egoístas lo impregnan todo. El caudal se ha disipado, el oro se ha convertido en oropel, un balance de la vida arrojaría sólo pérdidas. Es cuando las pasiones han labrado su cauce definitivo sin agotar su corriente, cuando las fuerzas han podido medir toda la resistencia de las trabas que a ellas se oponen y nos encontramos en ese breve período que separa la juventud de la vejez que se impone un juicio introspectivo. Vemos entonces sin espejismos el futuro porque hemos recorrido el pasado. Aún perduran los impulsos iniciales y columbramos, claramente, su destino. Satisfacemos también una necesidad intelectual que exige tarde o temprano un paréntesis de reflexión y ordenamiento y es posible que al examinar de cerca y desapasionadamente la trama de la vida suavicemos algún repliegue que fue causa de error o descontento.

❧ El valor de la experiencia depende de la capacidad que poseemos para obtener de los hechos su proyección exacta. En los casos simples su autoridad no se impone a título de un buen consejo, es autoritaria y dura. El chico que se ha quemado los dedos jugando con la llama, sabe en lo sucesivo a qué atenerse, pero no lo sabe el comerciante fracasado, por más que sus quiebras se repitan una y diez veces. En los casos simples se impone con la monótona firmeza de una ley, en los complejos, ensaya a lo sumo una indicación, tan flojamente expresada que nos es permitido desoírla. Sólo admitiendo la exactitud de la inferencia y la posibilidad de que existan dos situaciones más o menos similares en su composición y efectos es posible aceptar sin recelos su gobierno. Por desgracia las ocasiones en que más requerimos su ayuda presentan problemas tan complejos y especiales que difícilmente hallamos el caso similar que ha de orientarnos y nos vemos obligados a la acción con la sola guía del impulso instintivo. Y ¡ay de nosotros! Ese dios ancestral da en su homérica sencillez, sólo sabe de consejos extremos, de soluciones globales y al apremio complejo del momento se ofrece con un gesto inadecuado y trágico. Cada dintel guarda su secreto y debemos forjar nosotros mismos en presencia de cada puerta la llave que ha de franquearnos el paso.

❧ El afán de vivir anima cada una de las células del organismo y nos aferra a la existencia, cruel y a menudo trágicamente. Es conmovedor el drama del ex hombre que persiste en vivir aun cuando la Vida misma lo repudie negándole todos sus favores. Parece que el primer mandato fuera perdurar, perdurar a toda costa cada uno luchando egoísta y desesperadamente por lograr la mayor duración de tiempo posible y con tanto más afán cuanto menos satisfacciones se esperan. En la hora de la catástrofe final el vigoroso se somete con mayor resignación que el agotado. La Vida cuanto menos vale más se aprecia.

❧ No es fácil conciliar la sinceridad con la estética literaria, porque si bien no son excluyentes, la atención que a la una se presta redunda en perjuicio de la otra. El calor emocional del período sonoro, el colorido y el énfasis si engalanan la expresión deforman también el pensamiento. La afinidad que lleva las ideas a asociarse se extiende igualmente a las palabras y hemos de vigilarlas de cerca o imponen su voluntad a la nuestra. La mente que creó el lenguaje se engaña si creyó encontrar en él un esclavo dócil. Diríase que piensa por nosotros y en verdad es la única forma de pensamiento que la inmensa mayoría de las personas conoce.

🐝 La vitalidad o sea la suma de fuerza activa que hay en nosotros se halla en relación directa con la intensidad de nuestros deseos, pero en la conquista de la felicidad no es de capital importancia el hecho de su satisfacción. Los deseos al realizarse perecen y el caudal que creíamos aumentado se ve por esta misma razón empobrecido. Esta aritmética consoladora parece exacta y... parece también falsa porque no convence. Hay, eso sí, una diferencia tan grande de intensidad entre el deseo y su realización que toda meta alcanzada más se parece a una defraudación que a un acrecentamiento. En buena hora llegue la felicidad si es que ha de venir, inesperadamente en algún recodo del camino. No hagamos de su conquista el fin de nuestros afanes so pena de vivir tantalizados sin alcanzarla jamás.

🐝 ¡Haya un dintel que ningún paso salvo el nuestro franqueará jamás! Mágicas puertas que al entreabrirse descubran quietudes y frescuras en el claroscuro de claustros que bordean patios asoleados en algún divino alcázar del ensueño. Cielos rientes de azul, comarcas fabulosas en que el propio soñar es soberano. Sea para cada uno de nosotros un pedazo de esa tierra bendita y en ella germinen los deseos, ambiciones y esperanzas que no cupieron en el mundo real. Que cada uno la encuentre a su modo para refugio de las horas asediadas, para consuelo de desengaños que tarde o temprano vendrán a nuestro encuentro en los tortuosos senderos de la Vida. Allí las realizaciones serán tan perfectas como el deseo que las ha creado y con el tiempo si somos fieles a su encanto las utópicas visiones vestirán el ropaje de una realidad, distinta tal vez de la vulgar y diaria, pero capaz también de colorear los horizontes internos del pensamiento, de crear hondas y nuevas emociones cuyo calor reconfortante será como un vino milagroso.

🐝 La Vida no es solamente una suma de placeres y dolores. Este modo de interpretarla simplificando y reduciendo sus impresiones a dos grupos opuestos aunque cómodo es falso. El menor análisis nos revela que hay tendencias, necesidades, instintos que se traducen en actos que ninguna relación tienen ni siquiera de afinidad con el placer y el dolor. Las mismas emociones fundamentales cuando no se hallan asociadas a satisfacciones o contrariedades tienen un tono especial y propio muy distinto de lo que es meramente agradable o desagradable. Pretender que todas las corrientes tienden a la mayor suma de placeres evitando las ocasiones de dolor es ignorar la naturaleza íntima de las fuerzas ciegas que nos mueven. No vivimos porque el vivir sea grato ni abandonamos la existencia cuando deja de serlo, ni al hacer el balance logramos reducirla sólo a lágrimas y sonrisas. Las más hondas pasiones, como dice Spiller,[5] se desbordan sin dejar sabor alguno en nuestros labios. Cuando el anciano rememora su vida plácele detenerse en aquellas hazañas que muestran toda la plenitud de su esfuerzo, las dificultades que venciera, los peligros burlados con su fuerza o con su astucia. En su relato lo que se refiere a la sensibilidad en su aspecto subjetivo aparece sin relieve, en segundo término, o no es mencionado. En su labio, siempre el gesto, rara vez el sentimiento. En los niños ocurre otro tanto, lo que hacen, no lo que sienten, tiene valor. La queja es propia de poetas, mendigos y mujeres. Y sin embargo ¿es esto exacto, es esto justo? ¿No hay aquí el propósito de envalentonarnos con actitudes resueltas? Notemos que si el dolor es empujado hacia el olvido va en ello mucho la repugnancia orgánica que inspira. Que los que hablan alto y fuerte poco sufrieron, y es prueba de ello el vigor de su aliento optimista, o creen que están llamados como cualquier dios de lance a encontrar buena la obra que no hicieron, y sobre todo porque sólo hacen literatura en momentos de alivio en que el mal está lejos y es por esto fácil reducirlo.

No es en las grandes tragedias donde se encuentran los grandes dolores, es en la Vida monótona, mediocre y pobre en recias sacudidas y contrastes que el dolor y la miseria se ensañan.

Nada más triste que el carecer de lágrimas cuando se debe llorar, que el hallarse mudo de emociones ante el espectáculo de una gran pena que el verse aislado y solo sin poder compartir el llanto que abate el corazón cercano al nuestro.

---

5   Gustav Spiller (1864–1940), escritor judío nacido en Hungría y activo en las Ethical Societies. Fue autor de *The Mind of Man* (1902), libro frecuentado también por Jorge Luis Borges.

Los ideales que no encuentran hospitalidad cariñosa, las aspiraciones legítimas que una competencia innoble calumnia u obstaculiza, traen humillaciones dolorosas que hubiera sido bueno evitar limitando o mejor dicho, vigilando más de cerca los deseos. Tarde o temprano debemos replegarnos hacia el fuero interno para encontrar en los recursos que le son propios el amparo que el mundo no supo darles. La restricción voluntaria salva el amor propio y fortifica la voluntad y es por esto preferible a la impuesta por las condiciones desfavorables del medio en que hemos pretendido irradiar la personalidad. Esto no significa el dogma de una renunciación como medio de obtener un estado de salud moral que tal vez no sea otra cosa que un sueño del dolor o que sólo permita realizaciones incompletas y pasajeras. Muy al contrario una tal actitud no hallaría apoyo en la realidad de los hechos. Si la felicidad no es una esperanza vana sólo nos aproximaremos a ella por medio de esfuerzos positivos, ejercitando, no sofocando los impulsos. Únicamente en el ejercicio libre de todas las actividades llegaremos a expresarnos, esculpiendo en la Vida la palabra o el gesto exclusivamente nuestro. No alcanzaremos la salud moral rehusando o dejando a medio hacer la tarea. Allí donde la mano o la mente es llamada no podemos rehusarnos. La limitación debe entenderse circunscrita a la represión de impulsos que no suponen por su intensidad los designios de una verdadera vocación. Por el hecho de vivir en sociedad no estamos obligados a colaborar en todas las esferas que la vida en común ha creado. La política, la comedia social, las especulaciones, los deportes y todo lo demás que por turno llama a nuestro YO requieren aptitudes especiales y la incitación sugestiva del ambiente no debe arrancarnos de la órbita acostumbrada cuando no existe otro motivo fundamental que la vanidad personal en su deseo de figuración.

Cuando un acontecimiento inesperado sacude los cimientos que creíamos inconmovibles y basta para ello una grave amenaza a la salud o cuando con el correr de los años el telón se levanta sobre el último acto, es la noción de los valores morales la que más sufre.

De pronto rigideces de forma y modo de apreciación que eran médula de nuestra médula se ablandan y nos hallamos en un mundo emocional de inusitadas perspectivas. Si encierra una mayor revelación de la verdad no lo sabemos como no sabemos tampoco si la actitud a que nos obliga es de mayor dignidad pero tenemos el sentimiento turbador de un cambio trascendental y penoso. Valores que eran como pilares de nuestro techo moral pierden su robustez o son mero andamiaje de convencionalismos y mentiras y otros que creíamos de muy relativa importancia asumen ahora la proporción y fuerza de sostenes esenciales. Poco importa que el flujo y reflujo de la Vida nos haya negado o traído sus dones más codiciables. El éxito, el buen nombre, la fortuna y tantos otros eran cuarteles de una heráldica gloriosa pero, al fin, vanidad de vanidades. La venda ha caído de nuestros ojos y los damos por perdidos o no alcanzados. Una mera conciencia los mira, por lo que valen, con frialdad y si faltan en el balance final, poco importa, hubo que vivir como se pudo y si no salvamos siempre con valor y prudencia los obstáculos del camino, ¡mal haya la suerte que así lo quiso! ¡Pese a los dioses que flaquearon o mintieron! Pero aquellas pequeñeces que dejamos de hacer o hicimos, la amistad traicionada, los afectos que en vano se ofrecieron, las heridas inútiles infligidas por necedad o descuido, surgen del fondo más oscuro de la memoria y sus almas en pena se vuelven hacia nosotros... La contrición no nos absuelve. Lo criminal, lo torpe, lo violento fueron facetas de nuestro modo de ser y tal como fueron las mostramos o las ocultamos, pero aquellas pequeñeces que no contradecían un aspecto fundamental del carácter fueron un día posibles, estuvieron al alcance de nuestra ternura, de nuestra previsión, hubiera sido fácil ampararlas y no lo hicimos.

No es verdad la verdad que está lejos de su fuente. El ahorro que no proviene de la necesidad no es previsión sino tacañería.

La belleza en la mujer se mide por la intensidad de los deseos que la reclaman. Los cánones del Arte aplicables a la tela y al mármol fallan si pretendemos aplicarlos al modelo viviente que excita nuestras pasiones. Cuando admitimos belleza en rostros no deseables es porque contemplamos, por decirlo así, el cuadro haciendo abstracción de la mujer. La atracción de la fealdad es una frase explicativa sobre todo del mal gusto ajeno y que carece de sentido cuando toca de cerca el personal y propio del momento. Sin embargo estaríamos más próximos a la verdad si reconociéramos que las emociones relativas al sexo no tienen por fin ni buscan sino muy secundariamente una meta estética; su razón de ser interesa a la raza y la fuerza ciega que nos lleva a una elección obra con independencia de las combinaciones de color y línea que en la mujer y el cuadro suscitan admiración.

🍃 Nuestro dominio de la realidad es tan superficial y efímero que la menor concentración intelectual basta para introducir la confusión y la duda aun en aquellos conceptos que creíamos de una estabilidad básica. La rigidez del hábito tan esencial a una acción rápida resuelve a diario los pequeños problemas de la conducta que corre mecánicamente sobre rieles fijados de antemano. Pero en cuanto el pensamiento o la emoción llaman con insistencia a la conciencia y detenemos la marcha, los rieles se han dislocado, el sendero se ha perdido, la brújula se dirige indistintamente a todos los orientes. ¿Es esto cierto, es aquello falso? No lo sabemos y quizá no lo sabremos jamás. A despecho de todas las dudas la vida gritándonos ¡adelante! nos encarrila a empujones. Peor para nosotros si una resistencia interna niega su conformidad, si una actitud heroica, un momento reflexivo nos lleva a discutir la ruta, a examinar los medios. Hemos cometido un pecado imperdonable. La razón misma se vuelve contra nosotros o declarándose impotente nos abandona. El bien planeado campo es ahora un desierto, la verdad mentira y la visión penosa de un Spencer[6] debatiéndose en la red bien tejida de su filosofía obseda amargamente y del fondo de los siglos muertos el grito del Eclesiastés: vanidad todo es vanidad.

🍃 Hay momentos, y no son raros, en que las mismas cosas muertas desprovistas de interés llegan a conmovernos y a su vez como un eco de nuestra propia intensa personalidad parecen conmovidas, en que seres parcos de afecto humano responden con igual calor al calor de nuestras emociones. De improviso nos hallamos en presencia de un mundo nuevo, nos sentimos hermanados a sus detalles más ínfimos. Lo real y vulgar iluminado por una sonrisa interna se transforma glorificándose como si el alma de la vida dilatando sus perspectivas se tornara súbitamente infinita. La ventana abierta hacia el levante inúndase de luz. La belleza del paisaje que revela es algo tan próximo y

---

6   Herbert Spencer, filósofo y científico inglés (1820–1903), conocido por sus esfuerzos de aplicar las ideas de Darwin a la evolución social. Entre sus publicaciones están *Social Statics, or the Conditions Essential to Human Happiness Specified* (1851) y *The Man Versus the State* (1884).

tangible como el cuerpo de la mujer amada en la siesta pasional. Se ve, se respira y se le escucha, visión magnífica de todos los sentidos, de aquellas que miran hacia fuera y de aquellas que velan ignorados en las míticas celdas de la subconciencia. Hay un sentir más claro, una comprensión más armoniosa del todo de que formamos parte. Lo personal e íntimo está allí, pero la copa se rebasa, una gota de su licor convival ha mojado los labios del universo que ahora ríe o llora con nosotros. Penas y glorias que creíamos destinadas a morir donde nacieron han encontrado el amparo de una amplitud vastísima, son vibraciones de un corazón único, universal, absoluto. El Dios aprisionado en la celda obscura de nuestro YO recupera su imperio, contempla su creación y se irradia en ella. A veces la impresión es tan fugaz que sólo perdura en una vaga sensación de asombro, a veces la magia nos acompaña por un largo trecho, pero siempre llega inusitada, inesperadamente. Hemos franqueado sin pensarlo el mágico dintel, la puerta abriose silenciosa. La idea, la emoción que fue como el abre sésamo de los cuentos árabes hizo irrupción en nuestro ser llegada de no sabemos dónde. Después, vanamente la memoria se afana en reconstruir las imágenes perdidas, esquivas como el recuerdo de un perfume. ¿Vinieron de las regiones de la infancia, de ese mundo límpido y claro sumergido bajo el peso de todas las basuras con que pagamos el precio de la experiencia? No lo sabemos y si alguna vez dispusimos a nuestro antojo de la secreta llave, ¿por qué la hemos perdido?

꙳ Somos parte de un conjunto cuya estrecha comunión desconocemos. En horas de soberbia el mundo es pedestal que siente nuestra planta de dioses, en horas de terrible desaliento urna que guardara por siempre en un puñado de cenizas el secreto de nuestro ser. Pero en todo tiempo y con creciente afán a medida que las sombras tienden sus oscuros brazos al oriente exhausto el enigma se agita en nuestros pechos y su voz es de reto y de socorro bravía y lastimera. Vivimos como extraños en nuestra propia casa, creemos que el correr de los pasos nos aparta del dolor que persigue y nos alcanza y nos acerca al placer que huye y no logramos. La Vida descorre por momentos el telón de un escenario trágico o la cortina que oculta el mostrador vulgar de la moneda y la quincalla. Es madre y madrastra. La interrogamos con mirada ansiosa, discutimos la validez de sus mandatos, trazamos líneas divisorias donde ninguna preferencia existe, le imponemos la medida de nuestras propias restricciones y nos quejamos cuando las barre con su incesante oleaje. La actitud del niño ante la imagen de la realidad es más lógica y sencilla. Con amistosa curiosidad la acepta, es su herencia de lágrimas y risas, en ella deposita su confianza ilimitada, su ingenua fe y su actitud le revela una realidad que dispone de estos mismos caracteres y se aduerme tranquilo en un regazo de optimismo. Es tan egoísta como sus padres pero sin hipocresías vuelve la mano contra el cuerpo que le hiere en un arranque sincero, no se arrastra implorante a los pies de dioses que él mismo ha creado.

🐝 A los veinte años el corazón es un órgano que funciona normalmente. Si sabe del amor y sus penas sabe de emociones pasajeras que al sucederse rápidas dejan escasas o ninguna huella. A lo sumo la prosa se ha enriquecido, se ha ensayado un mal verso o hay una actitud sentimental cuya propia contemplación es bastante consoladora por no decir satisfactoria. La importancia de una emoción ha de medirse más por sus frutos que por su intensidad. A los veinte años sentimos honda no gravemente. El panorama de la Vida es rico en imágenes y sensaciones, el paso apresurado y las horas demasiado contadas para gastarlas en inútiles lamentaciones. No ocurre lo propio más adelante; es cierto que la sensibilidad se atenúa, que "se ve más claro y se siente más frío", pero las imágenes ya no se reemplazan con la misma presteza. El espejismo de la dicha tiende a cambiar de ubicación, del futuro retrocede lentamente hacia el pasado; la vida interna se enriquece, elabora y combina sus experiencias más notables y el recuerdo trabajando siempre con el viejo material ahonda las decepciones, si las hubo, y así las heridas morales se gangrenan y el tiempo que fue buen compañero y amigo y echó tierra de olvido sobre las tumbas, colabora a la obra malsana del recuerdo y sus horas corren lentas y fatigosamente sentidas.

🐝 No es recomendable la moral a título de buen negocio. El criterio utilitario la afea. Las consideraciones que pueden inducirnos a una aventura comercial, que justifican el riesgo están de más cuando se trata de un gesto bueno. Si la Vida se acorta o se alarga, se empobrece o se enriquece, no interesa a la moral, bástale saber que el acto es SUYO, que contiene en sí mismo su propia finalidad y si es obra de mostrador y balanza y regateo debe mirarlo como impostor y bastardo.

Esta es la base común que tiene con la estética cuyas creaciones son a la vez flor y fruto. El argumento que recalca la humildad de su origen y nos la presenta como el resultado de una experiencia que ha ensayado todos los medios para luego recomendarla como una excelente inversión de la conducta que ha de redituarnos con el tiempo honores y provechos no está al nivel de los valores ideales que recomienda y si algo logra es a costa de su desvalorización. Pero también es cierto que una moral así abaratada está más al alcance de las conciencias vulgares que cuando se halla depurada de toda asociación de orden práctico.

🦋 A espaldas de la Vida detenido para siempre en la actitud en que el tiempo en marcha le sorprendiera, se halla el pasado. La más pavorosa de las visiones dantescas no iguala en intensidad dramática la visión de esas horas muertas, petrificadas en el silencio y la inacción, inmutables, acusadoras, frías... Y un día tuvieron dueño, fueron nuestras, vistieron los colores de la vida, se inquietaron al ritmo de nuestras esperanzas. Las promesas que nos dieron están allí, las promesas mentirosas y aquellas que dijeron la verdad. Allí están cerrados para siempre los senderos que no elegimos, que no estamparon nunca la huella de nuestros pasos.

🦋 La Realidad es tan soberbiamente rica que colma al instante la medida que de ella pretendemos. Le dice a la Razón: "tu afán de ordenamiento es mío, cógeme en la red de tus leyes". Le dice a la Locura: "mírame, soy la imagen espejada de tu propia confusión". ¿Buscas la Verdad? Pues bien, yo contengo todas las Verdades, amables y amargas, para tus horas rientes y tus horas flojas por si te obseda la visión del pesimismo o te exalta el entusiasmo. Las páginas de su experiencia son inagotables, ha acumulado tal cantidad de hechos y ejemplos diversos que a ninguna actitud o filosofía por extravagante que sea ha de faltarle su apoyo. La Moral, la estética, la ciencia al documentarse en sus archivos se pluralizan. Bástenos el ejemplo de la pintura en sus diversas escuelas. Y así dando a todos la razón a todos se la niega y así también el valor de un concepto en cuanto es confrontable con la Realidad ha de limitarse a un lugar y tiempo determinado si pretende una rigidez estática, so pena de afirmar hoy lo que ayer se negara. Proteica y cambiante es por momentos una cosa y por momentos otra, rico tapiz oriental de dibujo tan intrincado que diríase que carece de dibujo o los contiene a todos. Pero si perpleja nuestra mente, confunde nuestros juicios y trueca en mentiras las verdades, no hemos de quejarnos porque también en la infinita amplitud de sus miras caben nuestros sueños más hermosos. Y quién sabe si algún recodo de sus muchos senderos no esconde la floración magnífica de ideales que hoy sólo acarician la esperanza de utopistas visionarios y nos sea dado ir de astro en astro a la conquista del espacio y de la eternidad.

⚜ Ciertamente la Moral no ha sido creada a título de un ejercicio intelectual y sus páginas no han de tener un valor puramente recreativo, tal es sin embargo la impresión que traducen la mayoría de los moralistas al colocarse en un mundo rígido que tiene tanta semejanza al mundo de la conducta como un muñeco a un ser viviente. La Moral responde a una necesidad de ordenamiento interno, su fuente es emocional e instintiva y si ha de traernos la paz que debe acompañar nuestras voliciones ha de acomodarse al juego de las pasiones fundamentales que agrupadas forman lo que se llama la personalidad y el carácter. Fuera de la Vida instintiva sólo puede habitar la región árida en frutos de las especulaciones filosóficas, pero en este caso su influencia será meramente hipotética y subordinada a la existencia de un impulso emocional capaz de hacerse sentir en el gobierno de la conducta. El hombre tal como debe ser es muy distinto del hombre tal como es y un código ideal colocado en cuanto a la posibilidad de su realización a una distancia enorme de la realidad es obra absurda. Casi todos nuestros actos son habituales y responden a las necesidades de un organismo que es ante todo un haz de impulsos ciegos —pasiones, emociones, instintos— anteriores a la experiencia individual y por consiguiente de imposible o muy difícil control. A despecho de las construcciones artificiales de la inteligencia ellos han creado también una moral y buena o mala nos la imponen a diario imperativa y categóricamente. La inteligencia a la luz de la experiencia se encargará de decirnos si nuestros actos son buenos o malos, si tienden a la prolongación de la vida y a su mejoramiento o si por el contrario la acortan deformándola, pero el ser emocional y físico es como tal una entidad perfecta que se manifiesta por la acción mucho antes de que el ser como entidad intelectual haga su aparición. La casa con todas sus imperfecciones y limitaciones está lista en sus más mínimos detalles cuando el morador —la conciencia— viene a habitarla y si el destino le ha reservado en lugar de un templo gótico una barraca ruinosa poco o nada podrá hacer para corregir sus defectos, darle una mayor amplitud o hermosearla.

🜚 En los encuentros de ayer se forjaron las armas con que luchamos hoy y lucharemos mañana. De acuerdo con la experiencia del pasado afrontamos el presente y el futuro. Es la única medida de que disponemos. Toda nuestra sabiduría está en dar con el antecedente salvador que ha de servirnos de modelo frente a situaciones cuya gravedad compele a la acción. Por fortuna la marcha de la Vida se desenvuelve sobre un terreno cuyos accidentes guardan entre sí vínculos de semejanza y los cambios se suceden tan lentamente que el acomodo es fácil. Así pasamos de la infancia a la juventud y de ésta a la vejez. Si así no fuera, en plena salud mental caería sobre nosotros la locura de la imposibilidad de adaptarnos a circunstancias que ninguna relación guardan con las ya conocidas y familiares. ¿Es por esto que el legislador, el sociólogo, el jurista están a la caza siempre del antecedente y le dan el valor de lo indiscutible y sagrado, lo invocan a cada instante y en su ausencia todo su saber falla y caen en la confusión y el despropósito? No es de creerse pero las situaciones nuevas sólo están unidas por una relación de parentesco con aquellas que le han precedido en el tiempo, y menos mal cuando a los fines de la acción es posible hacer caso omiso de sus diferencias o tratarlas como si fueran cantidades negligibles, de lo contrario tendremos un elemento incalculable fuera de toda previsión y capaz de desbaratar los planes más sabiamente combinados. En términos absolutos la historia nunca se repite aun cuando a los efectos de la conducta individual existen hechos susceptibles de ser tratados como si fueran idénticos. La expresión matemática de este concepto nos diría que $A = A + x$. Aquí x representa el elemento novedoso de lo imprevisto, lo insondable, el don del hada que fue excluida del bautismo y cuya influencia es la buena o mala estrella del destino.

🜚 Cuando el hombre cede su sitio al autor el público suele escucharse a sí mismo. La especie ha reemplazado al individuo con todas sus limitaciones y prejuicios. Su voz es un eco del alma colectiva, viste su indumentaria mental y lo que tiene de saliente, original y propio se pierde en lo vulgar y lo trillado. Y casi siempre es así, son muy contados los espíritus robustos que prosiguen su camino sin torcerse a derecha ni izquierda, tan sordos al aplauso como al vituperio, que expresan sólo aquello que hay en ellos y para quienes la moda, la opinión pública, el tono del ambiente son creaciones pasajeras, muy respetables por cierto, pero al fin altares de los dioses del momento.

❧ Es absurdo suponer que un lobo llegue a la crítica de sus instintos carniceros. En su caso la aprobación moral es absoluta en cuanto acompaña y aplaude su ferocidad. Si el hambre lo mueve irá en busca de sus víctimas y si una desconfianza pasajera en la eficacia del ataque lo aleja del rebaño su estado interno no ha de ser otro que una vaga mezcla de temor y rabia. Nuestras peores pasiones tienen también su conciencia personal y su razón de ser dentro de una ley moral que en otro tiempo fue acatada ciegamente y que hoy mismo aplaude e irradia su contento si a despecho de más grandes ideales logra imponer su voluntad. La literatura religiosa abunda en ejemplos. La tentación y la caída carecerían de explicación si no encerraran la promesa y el fruto de verdaderas satisfacciones. La historia de todos los crímenes de todos los vicios que degradan la vida y la consumen en horas afiebradas nos revela la posibilidad de placeres intensísimos, que repercuten en viejas órbitas morales que le son propias. El placer de la maldad no es una frase y la satisfacción que proporciona no es de naturaleza distinta, si bien sus consecuencias son diversas de las que emanan de la bondad y del altruismo. Es un error creer en una moral colocada fuera de nuestras pasiones y del conjunto de los anhelos y aspiraciones que forman el cuerpo humano. Con el tiempo nuevos ideales o amplificaciones de los ya existentes reclamarán su puesto en la conciencia y la moral ha de sufrir transformaciones tan hondas que el cuadro de un Cristo asistiendo a la fiesta en que se degüella el cordero pascual y se reparte en trozos su cadáver ha de provocar una indignación análoga a la que hoy provoca la antropofagia de nuestros antepasados salvajes.

❧ Hoy no es el ayer de mañana, sus elementos serán viejos, vistieron tal vez la primera apariencia del mundo, pero ahora en este momento actual forman una nueva combinación y como tal están preñados de infinitas posibilidades. El pasado sólo registra situaciones análogas, la identidad no se encuentra ni en la naturaleza ni en la vida. El caleidoscopio apenas se ha movido pero la posición de sus piezas refleja un dibujo inesperado, cada segundo de cada minuto es único e ido no tornará jamás. El hábito y la rutina nos hablan con voz monótona de un mundo artificialmente detenido para la mayor seguridad de valores que en nuestra ceguera y en nuestra pereza quisiéramos inmutables y fijos y a su vez cambian y nos abandonan, su fidelidad es una máscara.

❧ Al encarar en su conjunto el problema de la Vida no es posible apartarse del estrecho círculo del interés individual. Toda Filosofía o visión de conjunto es la expresión de un temperamento. Vemos sólo aquello que nos interesa, juzgamos del todo de acuerdo con el resultado de las impresiones personales. Los destinos de la estirpe y de la raza valen en la medida en que afecten los impulsos de ese YO, cuya cortísima historia comprendía el universo y que es la única maravilla absorbente, clara, emocionante que jamás conoceremos. Y nos consuela el saber que cuando, agotado el aceite de la débil llama parpadeando al fin se apague, la cambiante, trágica realidad que fue su luz y fue su aliento se habrá extinguido también en la noche silenciosa de la nada. Las palabras de Hamlet "dormir, morir, soñar acaso" podrán torturarnos un momento pero hay algo dentro de nosotros mismos que no tiene desconfianza, ni vanos sueños ni temores que nos dicen "no eres un accidente en el correr de las cosas, no iluminas un trecho y un espacio, eres la vastedad del todo y morirá contigo".

❧ La leyenda bíblica nos muestra al primer hombre formado de un puñado de roja tierra y la ciencia moderna hace suya la historieta del Génesis en cuanto enseña la estrecha relación que existe entre la vida humana y el medio ambiente que la rodea cuyos elementos influyeron en su formación adaptándola a las leyes de su propia naturaleza. El hombre, como el niño, a medida que se instruye va alejándose de esa primera madre del mundo externo que nutrió su ser y la tierra que fue su cuna será su pedestal y su último y más grande anhelo, la libertad. La marcha de la Vida es desde afuera hacia adentro. De la Naturaleza que es su todo y absorbe y domina sus intereses pasa a la torre de marfil que encierra el panorama del universo y se concentra en ella. Las solicitaciones externas pierden en vehemencia y son desoídos y aquello que viene de adentro va ganando importancia y dignidad. Los grandes espíritus son los primeros en aislarse, han conquistado la independencia, viven de sí y para sí pero tarde o temprano la soledad llega para todos. El hogar, la sociedad, la patria, la humanidad fueron en su tiempo creaciones espléndidas que retribuyeron generosamente los afanes que en ellos gastamos o malgastamos, pero...

❧ El espíritu conservador de los viejos es la expresión de su cansancio, sólo los jóvenes pueden destruir y luego edificar sobre las ruinas.

❧ Hay algo así como una conspiración del olvido en torno de lo torpe y lo malsano. Arraiga quizás en un cierto pudor de optimismo que insiste preferentemente en lo rítmico y claro y no osa detener la mirada en los trozos que desentonan. Los sistemas penales forman el mejor de los ejemplos. La sociedad apenas ha esbozado el problema de la criminalidad y en vano se pretende exista una tentativa de solución en la barbarie de penas que mal ocultan un gesto de asco y de venganza. Toda la monumental pequeñez del derecho petrificado en leyes cuyo enredo necesita de especialistas educados en las artes del engaño revela un descuido bochornoso. Menos mal cuando no es atentatoria de la libertad y de la vida, cuando sólo estorba las relaciones civiles pero cuando aplasta al desgraciado añade insolentemente a las lacras individuales una lacra colectiva más injusta y más odiosa que las violaciones que pretende impedir. La celda en la vieja cárcel de Ginebra en que se ahorcó Luccheni es una infamia infinitamente más grave que el crimen en ella expiado.

❧ La vida es intrínsecamente mala para un gran número de seres. Sus escasos favores están muy desigualmente repartidos y sólo en contadísimos casos responden en alguna medida al mérito personal de los favorecidos. Spencer en su admirable autobiografía da fe de esta última afirmación, tantas veces contradicha por el atrevimiento de un optimismo incorregible. El dolor si bien incentivo y correctivo del esfuerzo y como tal útil, no es un gesto casual de la vida, es un mal que en mil formas insidiosas amenaza y cohíbe, atacando tanto al bueno como al perverso. El Dios todopoderoso que se da como autor de la creación debió disponer de pobrísimos recursos cuando se vio obligado a enriquecer la gama de la sensibilidad con estremecimientos que serían inauditos en una pesadilla del infierno.

꒰ La sociedad contiene infamias que' no han sido expiadas. La historia de los crímenes es larga pero ¿en qué abismo de desesperación y dolor recogió y aceptó el hombre la noción espantosa del pecado? No fue ciertamente una creación de la maldad triunfante ni fríamente concebido por un reformador sin alma como medio eficaz de atemorizar a los fuertes, no, nació más bien en el corazón humilde y apocado de un espíritu bueno que sintió como propia la ajena insuficiencia, que aceptó la responsabilidad de culpas y yerros que de rechazo le tocaron. La tragedia no contiene nada más trágico que el auto reproche de los buenos en el trance del pecado.

꒰ La perfección del perdón es el olvido.

- ❋ - ❋ - ❋ - ❋ - ❋ - ❋ -

La perfeccion del perdon es el olvido.

- ❋ - ❋ - ❋ - ❋ - ❋ -

꒰ El cristo que dijo "dad a Dios lo que es de Dios y al César lo que es del César", que en el caso de la mujer adúltera indicó al que estuviera libre de culpa arrojara la primera piedra, que no fue Dios ni hombre sino el hijo de Dios es un cristo revelador del paisano astuto que diplomáticamente evita las situaciones extremas y colocándose en un ambiguo término medio da a todos la razón. Pero el cristo que llamó los niños a su lado, que acarició la suelta cabellera de la triste Magdalena y tuvo un gesto de varonil indignación frente a los mercaderes del templo ha de vivir cuando el último cirio se haya apagado en el olvido y la ruina de las religiones levantadas en su nombre.

꒰ Es por sus ideales que un hombre vale, por lo que tiende a ser, por la belleza del modelo que lo atrae y cuyas perfecciones copia con más o menos verdad en los gestos fundamentales de su carácter. Lo que realiza dependerá en gran parte de circunstancias cuyo control no domina y sus mismas intenciones al traducirse en hechos se verán deformadas por el impulso de la acción, por la resistencia de los medios, por el azar y el ambiente. El mundo lo juzgará por sus obras y medirá en ellas el valor de su esfuerzo pero ante el Dios de su conciencia sus obras valdrán como símbolo de sus ideales, como piedras que marcan en el camino la recta seguida y nada más; lo que pretendió ser y fue será juzgado por un criterio tan íntimo y severo que le será difícil, en la última mirada retrospectiva, llegar a la plena justificación de su conducta.

🐝 Los detractores de la sociedad no ofrecen por lo común ideales en sustitución de los reinantes. Sus críticas mal encubren la nota personal de la propia insuficiencia y el fracaso, sin embargo, una cierta medida de razón los acompaña. ¿Ellos mismos no son el mejor exponente de las fallas que critican? ¿El individuo ha de moldearse siempre a la sociedad o ésta al individuo? ¿No ha de ser en todo caso mutua la relación? He aquí una serie de interrogantes que si hemos de ser justos merece una respuesta meditada. Los inadaptados, los insuficientes, los incomprendidos no forman una minoría despreciable como lo atestiguan las estadísticas del crimen y del suicidio. El clamor de los vencidos es grande en todos los momentos y si bien la sociedad actual y la civilización que sostiene no es culpable de muchos males no se halla libre tampoco del reproche de que no supo o pudo amparar a sus desgraciados, de que no fue suficientemente maternal y previsora.

🐝 Toda civilización es el instrumento de una clase y como tal fragmentaria y partidista. El alma colectiva en la totalidad de sus aspiraciones no cabe en ella, la trama de su cernidor es necesariamente estrecha y excluye todo aquello que no se ajusta a su medida. Como el individuo la sociedad elige rumbos y levanta altares que son la negación de otros tantos caminos, de otros tantos ideales que en un momento dado fueron posibles y pudo adoptar. Los ideales sacrificados no mueren sin protesta, forman el sedimento de las rebeliones ilusoriamente atribuidas a la ignorancia o la maldad y son fuente de las acres rebeldías que nos muerden.

🐝 El reformador inglés que dijo al ver pasar un criminal camino de la horca: — "Allí iría yo si no fuera por la gracia de Dios"—7 no

---

7   "There but by the grace of God go I", frase atribuida al reformador inglés John Bradford (1510–1555).

tenía esa grosera suficiencia, base de aquellos caracteres, que nunca se apartaron de una estrecha inocuidad porque así las circunstancias quisieran y que juzgara con menosprecio a los demás, a los menos afortunados que a menudo en la vergüenza y ruina de sus vidas han alcanzado cimas morales no soñadas de las almas resguardadas.

❧ Demoledora y brutal como es la guerra hay una grandeza épica en sus riesgos que la hará atrayente al corazón de los hombres. Contra toda moral y toda justicia acudirán al fallo de las armas como al dios supremo de su causa y de su raza. Mientras subsista el amor al peligro en la magnificencia y pompa de su raro aparato escénico encontrarán los nervios la sacudida excelsa, acre y fuerte. A su lado las visiones de la Paz aparecen como descoloridas y flojas. Allá donde se expone la Vida, como se expone una moneda en la mesa de juego, valdrá siempre algo más como intensidad dramática y fuerza conmovedora que el trajín de las horas resguardadas aun cuando ellas fecunden en la virtud el Arte y la Riqueza.

❧ Los que afirman la noción de un mundo imperfecto y relativo, olvidan de seguro a la Esperanza. Es la hermosa sultana de los cuentos árabes. Con cada nuevo cuento gana un nuevo plazo. Su maravillosa inventiva cambia de continuo el decorado y renueva el interés en las mil noches y una noche de la humana desventura jamás nos abandona; crea en el más allá de la última mañana la redentora ilusión de una tierra prometida. Como el ave fénix, renace de sus cenizas. La esculpida imagen de la paciencia sonriendo al dolor es obra suya. ¿Consciente de su propia perfección es de extrañarse que todas las realizaciones la defraudan? El espejo de la realidad en que se mira es defectuoso y empobrece al reflejarle la gloria de sus imágenes. ¿Y en qué hemos de culparla? Su medida es la amplitud de todas las medidas y ninguna la rebasa, y por eso bien podemos dar lo no alcanzado por logrado. En el mismo punto de la renunciación, cuando lo damos todo por perdido, vierte una promesa suprema, ¡la de la vida eterna!

❧ Si el Arte tendiera solamente a imitar la Naturaleza, los procedimientos mecánicos reemplazarían con ventaja al ojo y a la mano del artista y el único criterio que tendríamos radicaría en la mayor o

menor fidelidad de la copia. Así sucede efectivamente en las produc-
ciones mediocres pero en aquellas que verdaderamente merecen el
calificativo de obras de arte, lo esencial es el alma del autor, la manifestación interna de belleza y comprensión de la Vida. El dominio
técnico, la perfección de los medios, la exactitud del trazado en el color
y la línea tienen ciertamente su valor pero frente a la obra maestra
admiramos y admiraremos siempre al Maestro, su personalidad, su
genio, es la mejor parte de su labor y en ella veremos algo que la naturaleza por sí sola grande y maravillosamente compleja como es, no ha
podido ofrecernos. El esfuerzo genial ha traído de los dominios internos una nueva anunciación de belleza, ha visto lo que no han logrado
ver los demás, por la razón sencilla de que su visión es creadora, personal y única. En la sonrisa enigmática de la Gioconda es el genio de
Leonardo, el elemento turbador.

🪈 Si ante el agravio real o imaginado reaccionamos con el odio y
la venganza ¡qué hemos de hacerle! Somos víctimas de una pobreza
emocional que nos lleva al nivel primitivo de la bestia. Habrá en ello,
quizás, un afán mal comprendido y peor expresado de compensación
y de justicia que en hora infausta, llorada de los ángeles, echa mano
del único recurso de que dispone: la maldad.

🪈 Ni aun el ascetismo religioso se atreve a la alabanza del dolor. Lo
acepta y va a su encuentro porque es el castigo de una falta. Su sombra
entristecedora es como la imagen del rey en la conciencia de Macbeth
familiar y temido, ejerce muchas veces un control saludable en cuanto
nos obliga a vigilar de cerca nuestros actos. Lo conocemos bien, mas
no por eso lo respetamos menos. No así la emoción del placer, infundiendo una confianza optimista que tiñe de rosa los horizontes, relaja
la previsión y puede así traer sobre nosotros desgracias irreparables.
Si el uno peca por depresivo y por ende es mal consejero, el otro no
lo es menos y por ley de contraste intensifica el mal que un exceso de
confianza ha provocado.

El dolor que lleva muchas veces el disfraz de la Esperanza en una
u otra forma nos acompaña siempre. Si bien nunca la aceptamos con
entera resignación, se agrega a nuestro optimismo innato, se incor-
pora a nuestro yo y le reservamos un rincón inevitable al lado mismo
de nuestros dones más preciados. El dolor viste el rostro de una verdad

amarga si se quiere, pero al fin verdad, el placer lleva el rostro pintado y nos engaña a menudo.

🜊 Las grandes vanidades envejecen pronto; andamiaje de sueños irrealizables se marchitan al pasar la Juventud. Cuando perduran es porque circunstancias excepcionales las favorecen pero entonces su vida se torna azarosa y difícil. En su misma magnitud llevan el germen de la destrucción; ofrecen un blanco demasiado visible, resultan una carga demasiado pesada. Por otra parte nuestra propia insignificancia nos libra de ellas. Las pequeñas, gastando una vida más recóndita y humilde, perduran más y sirven como buenas cuando informan razones de existencia. Verse libre de toda vanidad es verse desnudo de todo valer, arrastrando de prestado la infamante carga de los años sin una escusa para seguir viviendo.

🜊 Sobre el pedestal del patriotismo todo imbécil es un héroe. Su alma será un tejido de ruindades y mentiras pero ha encontrado una eminencia que ninguna crítica humana ha deprimido todavía. La fuerza del pasado lo acompaña. La emoción que invoca prestigiosa y respetable tiene el halo de las cosas sagradas y guay del miserable iconoclasta que en el hecho o la apariencia le niegue su tributo. Desde su altura formidable toma otra grandeza. Es inmoral y tanto más inmoral cuanto más grande.

🜊 Hay muchas tragedias en la Vida, la más dolorosa quizás es la vejez porque encierra en sus arrugas entre otros males la torpeza, el aislamiento, el cansancio y la fealdad. Llega casi siempre inesperada y silenciosamente, un día... y hemos dejado atrás la Juventud. Tuvo en verdad sus sombras precursoras pero estábamos tan ocupados en vivir que si fijamos en ellas la atención fue para engañarnos; la experiencia encauzaba las pasiones; la madurez del criterio traía una mayor frialdad, un mejor entendimiento serenaba nuestros juicios; habíamos sido demasiado generosos con nosotros mismos, el mal no estaba adentro sino afuera en horas que marchaban desatinadamente aprisa. Lentamente trabajada, la conciencia de la Vejez se forma en un momento, en la ejecución de un acto familiar, en el reflejo del rostro en el espejo, en la mirada de una joven, en la chanza de un amigo y todas las amarguras contenidas se desbordan y nos vemos solos en un mundo que apenas nos tolera si no es abiertamente hostil, desorientados, incomprendidos.

🐝 La consideración que se debe a la vejez no es distinta de aquella que se debe al lacayo, al enfermo o al niño. Una razón de hidalguía así lo quiere. Comparándonos con ellos estamos colocados en una situación de innegable superioridad, mas el juego generoso de la Vida nos impone el deber de disimular en lo posible el contraste, de ocultar frente al débil la propia fuerza. La vejez no es respetable porque importe una superioridad. En el mejor de los casos es una desgracia irreparable y todas las causas del mundo no pueden dignificar un estado que se adquiere por el sólo hecho de vivir larga y por lo mismo resguardadamente.

🐝 Cuando habla la emoción los argumentos están de más. El individuo con su ciencia y su lógica de ayer desaparece. El mecanismo del instinto reemplaza el instrumento de la razón y es ahora la raza la que dicta sus razones y las dicta en el lenguaje más antiguo del mundo, de todos comprendido, en el único que hermana el hombre a todos sus hermanos y a su hermano la bestia. En el juego ingenioso de la lógica un argumento se rebate con otro y la decisión se prolonga y se confunde en un murmullo de palabras. El gesto de la emoción sincera compendia todos los argumentos y cuando estalla tiene la fuerza convincente irreplicable del mazo sobre el cráneo desnudo. La verdad que no sentimos es una verdad anémica, es un artificio momentáneo que muere con el eco del lenguaje artificial en que ha nacido pero aquélla que arraiga el fondo de nuestro ser ha resistido la prueba de los siglos; es tan exacta hoy como lo fue en la primer conciencia de la humanidad cuando los dioses de la creación estamparon en ella su voluntad y su ley y esta verdad sólo la emoción pura dignifica y expresa.

🐝 Se ideó el mecanismo del Estado en defensa de la propiedad y de la vida. Se vive para acumular riquezas; se acumulan riquezas para vivir con mayor seguridad y amplitud. El saber y en general las ciencias y las artes valen lo que producen. Después de los treinta años el problema del bienestar material y físico forma el centro de las mayores preocupaciones. La propiedad y la vida son igualmente interesantes. En teoría la primera es mucho más importante que la segunda pero es curioso reflexionar que en la práctica defendemos con más ahínco el bolsillo que la salud. La ley del servicio militar obligatorio ha encontrado menos resistencias que la que grava la renta o la herencia.

🜂 El optimismo del creador al contemplar su obra, una vez terminada, es también el nuestro. Los errores son humanos y como tales disculpables; los fracasos bolillas negras de una suerte adversa o el precio con que pagamos la experiencia; los vicios motivos de expansiones deliciosas y de la desgracia no hay quien se libre, tarde o temprano hubo de llegar, como la noche después del día.

El creador halló su mundo bueno y al séptimo día se entregó al descanso, la conciencia tranquila. Fuera ilógico en materia de optimismo colocarse en un plano inferior al de los mismos dioses que hemos creado y es también para nosotros el pensamiento consolador que nuestra parte, si bien ínfima en la grandeza del todo no fue mera sombra y ceniza, que el esfuerzo no siempre bien dirigido fue un esfuerzo, que alguna vez contemplamos deslumbrados las estrellas, aunque más no fuera, que en los charcos y lodazales de la propia vida.

🜂 El mejoramiento del organismo individual o político no se alcanza con la incorporación de esta virtud o la supresión de aquel vicio. La salud del cuerpo no se compra embotellada en las farmacias, la salud del estado no es obra de ninguna ley. Si así fuera harto simple sería la receta y la edad de oro, largo tiempo esperada se hallaría cómodamente instalada entre nosotros. El problema es muy complejo. En primer lugar estamos más dispuestos a sacrificar una virtud que a renunciar a un vicio. En honor a la verdad y sea dicho con franqueza, los unos no son necesariamente satisfactorios y los otros molestos. Por el contrario hay vicios que dadas las fallas de nuestro cuerpo son necesarios a cualquier precio y hay virtudes —al menos están catalogadas como tales en los recetarios de la moral— que robarían al mundo hasta el último resto de poesía que aún queda en él. Por otra parte ¿quién traza con mano firme y segura visión del porvenir, la línea divisoria? ¿Quién es capaz de decirnos esto es bueno, pura y absolutamente bueno y aquello malo? Es de dudarse haya sido alguna vez la vida perfectamente sana. El árbol del primer paraíso cobijó también la serpiente, el primer gran libro encierra junto al Cantar de los cantares las lamentaciones de Job, el niño nace llorando. Si en el único trecho de vida que jamás conoceremos el mundo del YO y de ese yo más grande que se llama la sociedad y el estado están enfermos, gravemente enfermos como algunos piensan y muchos más escriben, para nosotros, seres de un día, el afán de un remedio es una molestia más. En esta materia un poco de escepticismo sienta bien. Es cierto que la salud del padre es en cierto modo la salud del hijo, que reformarse es vivir, pero en ansia de mejores frutos no hemos de podar tan a lo recio el árbol de la vida que el viejo tronco sufra y sus ramas se sequen.

꒛ Cada YO es el centro del universo. Estamos tan ocupados en escucharnos a nosotros mismos que el hombre modesto que tiene algo que decir encuentra difícilmente un auditorio. Es cierto que el talento no abunda, pero abundan menos los que están dispuestos a escucharlo. El caso del genio es distinto, los dioses que lo crearon lo protegen y vivo o muerto se hace oír. Su aparición coincide con un alto grado de esplendor general pero aun así destruye a los genios menores que lo rodean. La gloria de Shakespeare ha ahogado el aplauso que debió tributarse a dramaturgos insignes de su misma época y esto, que para contar los genios que ha producido el mundo basta la aritmética de los dedos. La patria de un escritor es el idioma que emplea. Si Eça de Queiroz hubiese escrito en francés o castellano su fama sería mundial. Los clásicos grecolatinos están destinados al olvido porque, maguer su fama, son muy pocos los eruditos que pueden gustarlos en su idioma original. Un buen libro es tan raro como un buen lector —no basta juntar con más o menos arte entre dos tapas, algunos miles de tipos de imprenta y el buen lector ha de seguir a su autor como el perro fiel sigue al amo olfateando su rastro, porque no siempre ha de encontrarlo en cada párrafo del libro— mas cuando los dos se encuentran, el espíritu selecto y la obra maestra en la primera lectura arrobadora, la virginidad no ofrece mayor deleite, la impresión recibida es única y en vano ha de buscarse después. Keats descubre a Homero en las páginas de Chapman y de pronto vislumbra un nuevo mundo y se llena de asombro.

꒛ Cuando se ha renunciado a toda vanidad personal —el caso es sumamente raro— el mundo ya no tiene armas con que herirnos. Es muy fácil a la manera de La Rochefoucauld pretender que en este caso la vanidad espiritual reemplaza a la mundana, que se ha operado sólo un trueque de vanidades. Pero el insigne pensador francés, tan brillantemente superficial, se engaña como nos engañamos todos cuando emplea un término genérico que encubre especies distintas entre sí. ¡Todo es vanidad! Mas ese todo encierra matices y distingos inarmonizables que no guardan entre sí más relación que la que ha podido darles la pereza intelectual obrando en la pobreza del lenguaje. Un afán que eleva y otro que deprime son afanes pero no son iguales y el término genérico que los confunde para dar brillo a una frase es falso.

❧ El perdón que no precede al castigo es una brutal ironía.

❧ No arrojemos la primera piedra. No es necesario. Nuestro sentimiento de justicia corre escaso riesgo de verse defraudado; hay quien ha de hacerlo por nosotros y con más certera mano. Esta no es ciertamente la moral del Cristo pero es la moral del mundo que el alma de su alma desprecia al lapidador aun cuando condene al lapidado. No juzguemos. No podemos ser justos. La balanza se inclina siempre en uno u otro sentido y por amor de nosotros mismos seamos tolerantes: por amor a esa serenidad interna que es la paz y la belleza del espíritu seamos mil veces tolerantes.

❧ Tan arraigado es el prejuicio de casta, aun en sociedades fieras de su democracia, que el advenedizo es casi siempre un individuo del cual es necesario precaverse. Es peligroso. El verse elevado de pronto a un estado que según el individuo le corresponde por arte de su buena estrella, laboriosidad o audacia y que al parecer de los demás no le corresponde, crea una situación que ciertamente no es la más conducente al establecimiento de relaciones amicales. El bueno se agria, el perverso responde con su maldad. El prejuicio de casta fomentado encubiertamente por las leyes y abiertamente por la sociedad privilegiada establece barreras más formidables que las que se deben a las diferencias levantadas por la religión, la raza o la nacionalidad y es una falta imperdonable desconocer su existencia en un medio cuya tolerancia es esencialmente política y que sólo alcanza a la igualdad ante la ley y al sufragio universal. Napoleón fue un advenedizo, escandalizó a su corte, escandalizó a la Europa y aun más al feudalismo inglés que en el último acto de su asombroso drama le hizo merced de una roca en medio del océano. La rivalidad de los pueblos que estalla en guerras cruentas, es siempre la obra de una clase pero tiene un escenario de grandeza y heroísmo, la rivalidad de las clases entre sí es sórdida y mezquina.

🐦 La vida de los grandes de la tierra no deja nunca de interesarnos. La historia que relata sus proezas, las memorias que registran sus flaquezas son leídas con avidez en sus menores detalles. Hay un mórbido afán en conocerlos, al fin hombres, tales como fueron en su traje y sus maneras, en la vida familiar, en la mesa y en el lecho. Es que nosotros, los pequeños, también hubiéramos podido ser grandes y encubrir bajo la púrpura cesárea y el noble gesto teatral la podredumbre y la mueca. ¡Si mi padre me hubiera dado una educación universitaria!, exclama el proletario. ¡Si hubiera tenido un poco de capital!, exclama el modesto industrial. ¡Si hubiera tenido suerte!, piensan todos. No todo ha de ser mentira o ilusión. En cada uno de nosotros hay estofa de un gran hombre o su mejor parte: la sed de ambición, el amor al aplauso, la apreciación desmedida de sí mismo, la confianza en la propia capacidad. Dada la hora fatídica, el momento oportuno y la marea montante de la grandeza nos hubiera llevado con Nerón a incendiar Roma, para aplaudir a Homero, con Bonaparte a cruzar los Alpes para saquear Italia. ¡Cómo nos place saber que los grandes de la tierra son nuestros hermanos! El Dios se yergue sobre nuestros propios hombros, la magnífica estatua de bronce contiene aleaciones de un metal más pobre, el humano, el de todos los mortales.

🐦 Hay una tendencia bien marcada, no ya a reemplazar la Religión por la Ciencia, lo que es simplemente un absurdo, pero sí a convertir la Ciencia en una Religión. Ambos buscan la Verdad, la una en la región del espíritu, la otra en todas las cosas pero el afán dogmático tan asociado a la primera y tan funesto a la libertad individual —conquista que el hombre ha alcanzado sólo a medias todavía— tiende a encarnarse en la segunda y su verdad se invoca y su autoridad se impone aun en aquellos casos en que la ciencia misma titubea. En vano Spencer levantó su voz contra prácticas y leyes nacidas a la luz de una experiencia prematura y novelera. En vano se recuerda que la ciencia es un producto humano y como tal susceptible de torceduras y errores. El deseo del milagro ha pasado de la gruta de Lourdes al laboratorio del químico y la ceguera de la fe que en otros tiempos llevó sus víctimas a la hoguera las lleva hoy en el siglo de la ciencia triunfante al sanatorio y la clínica.

꙾ No es fácil juzgar de la infancia como quien dice de segunda mano. La ajena, la de los verdaderos chicos se desenvuelve en un mundo tan distinto al nuestro, como es distinto un cuento de Perrault a la metafísica de Kant. La psicología infantil no es una ciencia, ni un arte, es una simple majadería y el chico que vislumbramos al través de sus páginas es un ser tan fantástico como la sota de oros o el rey de bastos y mucho menos interesante. Si nos es imposible penetrar muy hondo en la selva obscura de nuestras almas ¿cómo hacerlo en el corazón y la mente de seres cuyo corazón y cuya mente es tan movido y cambiante como la danza de las horas en el teatro del día? Más nos vale acariciarlos, hacerles merced de una sonrisa o de un juguete y quererlos mucho, mucho. Mejor para ellos si son como pretenden algunos observadores perfectamente amorales si son tan inconscientes del bien como del mal. La conciencia que nosotros tenemos del valor de nuestros actos no nos libra de ejecutarlos. El árbol del saber da un fruto amargo. No nos preocupemos tampoco demasiado por su educación. En esta materia como en muchas otras, un poco de prudente negligencia es salvadora; no olvidemos que la mano que corrige y guía puede también deformar y dejemos que nuestros hijos nos eduquen: en el cambio recíproco de influencias la del hijo sobre el padre es la mayor. La labor nuestra ha de ser en el mundo que habitarán mañana. Pongamos nuestra casa en orden, será la suya, limpiémosla, hagámosla más cómoda y hermosa y habremos cumplido con nuestro deber.

꙾ El paganismo acercose demasiado a la naturaleza. Iba en busca de la Verdad y halló la poesía. En ella vive aún. El cristianismo primitivo fracasó en el comunismo; su derivado el Papismo muere ahora, no en una sino en las siete colinas de Roma: su creación mejor fue la obediencia. El protestantismo quebrado en cien mil sectas absorbe la monotonía de los domingos. De todas ellas la gloria es ida, ya no somos capaces de morir por nuestra fe. La religión no ha muerto, su alma es la esperanza y la esperanza es perfecta y divina y no puede morir. No ha envejecido tampoco, su peregrinación al través de la estirpe por los siglos de los siglos no la ha hecho ni más venerable ni más fuerte ni más austera. Ya no temblamos en la presencia de sus dioses. Son nuestros camaradas, conocen nuestras fallas y nosotros las suyas y estamos mutuamente dispuestos al perdón. Las chanzas son permitidas. Qué curioso hubiera sido si el Mesías en vez de nacer en la árida Judea hubiese nacido en la Grecia de Atenas y el Partenón. El hijo de Jehová hubiera sido entonces el hijo de Prometeo y toda la noche de horrores que partió de la colina del Gólgota para enlutar el mundo en doctrinas de pecado y expiación habría irradiado en un concepto más sano de la Vida, más rabiosamente hermoso y más perfecto.

⅌ Sea cual fuera el acto producido, razón hubo para obrar, desde el momento que obramos, a menos de que al acto se le atribuya un origen milagroso, tenga su cuna en la nada o vague a manera de una concepción metafísica fuera del tiempo y del espacio. El acto desatinado tiene, en el orden de la causalidad, una genealogía tan perfecta como la tiene el atinado. Ella es su razón de ser. Nos asombramos en nombre de la cordura o la moral de que tal o cual infamia haya podido cometerse, derramamos sobre ella lágrimas e imprecaciones y no siempre una razón más fría nos dice: "Es un hecho, en una u otra forma ha existido siempre y su incorporación a la realidad sólo le ha dado pesadez y relieve, por otra parte debió fatalmente producirse". De la súper conciencia a la conciencia, de la idea a la acción todo acto es eslabón de una larguísima cadena, admirable y lógicamente ordenada, es fuerza de una corriente que aquí alimenta la esclusa de un molino laborioso y allí, al desbordarse, abate las espigas, arruinando la cosecha, que un trecho entretiene los ocios del pescador y en otro ahora un niño. No sabremos jamás las consecuencias remotas de nuestros actos, la etiqueta moral o estética que les aplicamos es necesariamente personal y provisoria. A la tesis consoladora de que un acto bueno conserva su carácter al través de sus innumerables consecuencias, podemos, en el caso de los actos malos, oponer la tesis igualmente consoladora de que en algún momento podrán muy bien tornarse inocuos y dar buen fruto.

𝕽 El mundo está tan admirablemente organizado que las resoluciones heroicas de enmienda siguen siempre a las grandes catástrofes; si las precedieran, las catástrofes estarían de más.

𝕽 Que el mundo sea un campo de acción agrio y fuerte en que el triunfo corresponde al que pueda alcanzarlo es razonable. Que no se vigile la elección de las armas y sean estas traicioneras o leales según la ocasión y el momento puede ser muy bien una regla del juego y como tal, admirable. Que haya vencidos y vencedores y se repartan unos los despojos de los otros, no hiere ningún sentimiento de Justicia. Pero es cruel y odioso que haya vencidos que nacieron tales a quienes jamás se ofreció la oportunidad de la lucha, condenados por el hecho de nacer a una existencia miserable que no tiene otra perspectiva que aquella que puede ofrecerle la cárcel o el asilo.

𝕽 La caridad en otra época fue una hermosa virtud y el cristianismo puede con razón vanagloriarse de haberla practicado con amor y constancia. Hoy en día, sería tal vez mejor ampliar los límites de la Justicia hasta comprenderla en ellos. Así la relación de dependencia que existe siempre entre aquél que da y aquél que recibe se vería suprimida en provecho moral de ambos.

𝕽 La maldad por la maldad misma existe pero es caso de compasión y no de culpa. El hombre para ser verdaderamente malo no necesita acercarse a la fiera en sus pasiones, le basta embriagarse en los ideales más nobles de la Vida o simplemente enceguecerse en su ignorancia. La pobre vieja que destechó su hogar para avivar la hoguera de Hus cometió a sus escasas luces un acto meritorio. En el trance de la muerte debió confortarse con el recuerdo de un sacrificio inspirado en el horror de la herejía. En la trágica noche de su larga gestación, el Patriotismo y la Ciencia han herido ciegamente. Sus víctimas se cuentan por cientos de millares. Las crónicas de la Libertad están teñidas de sangre. La obra de la maldad es a su lado, una página en blanco. La capacidad para el mal que hay en cada individuo es hoy como hace mil años quizá la misma. La historia de los grandes crímenes no es la historia de una época, de un país o de una civilización, es la historia de todos los países, épocas y civilizaciones, y si a pesar de esto existe una ley de perfeccionamiento moral que ha hecho más cómoda y fácil la existencia en nuestros días, no se debe ciertamente a una atenuación de la maldad y sus pasiones sino más bien al ensanchamiento de los horizontes intelectuales, a una visión más clara al través de las brumas de la ignorancia que aún nos rodea. La maldad se combate con el saber; la cárcel con la escuela.

🐝 El determinismo absoluto es de difícil arraigo en el corazón humano. La voluntad es libre y creadora. Si utiliza en su provecho el hombre las fuerzas naturales y se opone a su alegre insensatez ¿cómo no se ha de dominar y vigilar aquéllas que fueron en su comienzo obra de su propia volición? Todo éxito es motivo de recompensas, toda falla da ocasión a un castigo. La voluntad pudo hacer aquello que no hizo, debió ser prudente y previsora. El hogar, la escuela y la sociedad así lo quieren. Es el fundamento de su labor educacional y cada paso que damos en la vida lo ahonda en nuestro ser. Cuando un pueblo fracasa y se hunde hay siempre un traidor, cuando una catástrofe nos alcanza, hay siempre una culpa. La responsabilidad pesa sobre nosotros y nos hiere. Menos mal si somos fuertes, entonces la culpa la tienen los demás, los débiles se acusan a sí mismos.

🐝 La bondad no es tan buena que no nos avergoncemos de ella. Es la más difícil de todas las virtudes, emplearla en su justa medida es un problema. No es prudente atravesar el mundo con un hacha en la mano aun cuando fuese simbólica de valor y de justicia, no es prudente tampoco ofrecer como solo escudo la bondad. Los astutos la simulan, los fuertes hacen de ella obra de condescendencia y caridad, los débiles la adoptan por necesidad. Cuando es el único rasgo distintivo del carácter flota como el gas de los pantanos sobre un fondo bajo y torpe. Los héroes de Plutarco no se muestran en las calles de la Vida; la admirable dosificación de sus virtudes es una obra de arte. La Naturaleza atareada en la enorme producción de sus modelos rara vez se detiene a producirla, por eso disculpamos su ausencia y un margen de justicia la reemplaza.

❧ La mujer ha nacido para muchas cosas; ignominiosas las unas, amables las otras. En algunos casos muy contados, ha nacido también para ser madre.

La mujer ha nacido para muchas cosas; ignominiosas las unas, amables las otras.   En algunos casos muy contados, ha nacido también para ser madre.

❧ No son las exigencias de la vida diaria las que han impuesto al hombre la sobriedad en el traje y el abandono de las joyas. Van en ello también motivos de dignidad personal y una mayor cultura intelectual. Su sensibilidad estética continúa siendo la misma si hemos de juzgar por el precio que paga y el interés que dedica a las ricas telas y a las piedras preciosas cuando adornan y traicionan la desnudez de sus mujeres. Aun el reloj que suele ser una prenda favorita no va más allá del oro y del esmalte. Podríamos señalar como excepción la indumentaria harto llamativa de militares, lacayos y diplomáticos pero es cierto también que en estos gremios el hombre desaparece para dar lugar a la máquina, en ambientes reacios al alto pensar y la cultura.

❧ Hay una forma de la sensibilidad intelectual que huye de la verdad desnuda como si contuviera gérmenes de contagios peligrosos. Temas hay que sólo se discuten en voz baja y con vergüenza, de otros el diario manoseo roba la fetidez. Pertenecen a ese mundo sumergido que por tácito consentimiento pretendemos ignorar. Y hacemos bien. El mundo no es sólo un problema intelectual, es también un problema estético-moral y si hemos de soñar en destinos astrales y la inmortalidad del alma, el hedor de la bestia no ha de seguirnos del corral y el matadero, del tugurio y la cárcel.

❧ Un margen de tolerancia —muy generoso en muchos casos— nos permite ensayar en la Vida una buena parte todo aquello que la imaginación crea. Extravagancias a quienes dio forma la locura o el ensueño mariposean en la brillante vestidura de la realidad al lado de creaciones que encarnan la nobleza de la moral, la estética o la ciencia. El tiempo no revela el valor de nuestras obras, lo trivial puede tener la suerte que no cupo a los grandes. En los destinos del universo tanto puede pesar una sonrisa como una civilización que se derrumba. La vida, en verdad, es tolerante. En ese mundo de las sociedades humanas y de su vasta habitación nos es permitido imprimir la huella de nuestros pasos y el afán de nuestras horas, podemos contribuir a su grandeza, darle algo que antes no poseía o denigrar y despojarla pero nunca en la justa medida del esfuerzo ni en la claridad y pureza de la intención. Estas cualidades que el mundo interno posee y resguarda celosamente viven y mueren dentro de nosotros mismos. En los límites del YO la voluntad es soberana: hace y deshace a su antojo, fuera ha de exteriorizarse por la acción y si lanza a la vida un hecho ha de hacerlo como quien arroja un leño a una corriente. Una fuerza más grande que la fuerza que lo ha creado se apodera de él, un nuevo ambiente le impone nuevas condiciones y un nuevo rumbo. La voluntad humana es grande pero en cuanto pasa a los dominios de la acción, la obra que creyó suya renegando de su cuna cambia y se desvía. El amor, la verdad, el sacrificio, poderosos como son no bastan para salvaguardar la labor que las encarna. Diríase que el mundo externo tiene también su voluntad y cuando se deja seducir por la humana voluntad, infinitamente más poderosa que ella, impónele su parecer; utiliza sus creaciones para sus propios fines, las mutila o las agranda. Pese a nuestro orgullo de creadores de la teoría a la práctica, de la voluntad al hecho hay la misma distancia que separa la ilusión de la verdad. Es que lejos de su fuente no hay teoría controlable, se fija en hechos que sufren la influencia modificadora de otros hechos, cesa de pertenecernos y perdiéndose en un medio cuyas leyes no son las de su origen se transforma y muere.

🦋 La transformación es una ley de la Vida y de vida pero implica también la muerte: algo se ha dejado atrás, en un punto se ha apartado de su dirección primitiva y con el tiempo la desviación al principio imperceptible se acentúa. Toda concepción que tiene vida sufre de esta acción deformadora y cuanto más intensas y complejas son las fuerzas que la animan tanto más profunda y rápidamente ha de alejarse en su marcha, cambiar y transformarse. Las ideas que lanzamos a la realidad cesan de pertenecernos y no podemos vigilar sus resultados. En la torre de marfil de nuestro orgullo nacen límpidas y claras, preñadas de fortaleza y de verdad, el mundo las utiliza para nuevos fines, las mancha y las altera. Por otra parte la nobleza de su causa no las libra de prosélitos innobles.

❦ El poeta —y existe en cada uno de nosotros porque en todo corazón que se debate hay fuente de poesía— ha de esconder su amor lejos de la Realidad. Dentro de sí mismo ha de ser el creador y la obra, el amante y su delirio. Los mármoles de Pigmalión cuando se animan conducen por tierra de decepción a dolorosas peregrinaciones. El sueño cuando se encarna muere. El poeta ha de ser celoso de su amor. Bajo la doble cerradura del secreto y del silencio ha de guardarlo. Lo que en el mundo existe al mundo pertenece y es fruto de codicia y de deseo, de estrépito y de afán.

❦ Nacemos sabiendo que la independencia económica, la prudencia y el ahorro son laudables, si nacemos tacaños.

❦ La dura experiencia educa. Su método docente cuando quiere podar una cualidad demasiado excesiva es muy curioso, por ejemplo: engaña al confiado o arruina al generoso. Una primera lección es suficiente. Si el educando se deshace en la trampa o muere en la miseria ¡qué ha de hacerle! No es malo acreditar aquello del escarnio en cabeza ajena.

❦ El hombre ha traído al universo que habita una gran fuerza madre de nuevos hechos. "Esto quiero y esto será" es la divisa triunfante con que ha marchado a la conquista de nuevos horizontes. La doctrina del determinismo absoluto que pudo enfriar su entusiasmo no le sonríe, falsa o cierta no le impide crear en su voluntad y amar sus ideales dentro y fuera de sí mismo con un amor no siempre constante pero siempre vivo. La naturaleza la secunda poderosamente. Ella también es creadora de nuevas formas y en su vasto laboratorio ensaya todos los tipos, pone a prueba todos los ideales. Hace obra de belleza en el ala y el pétalo, en el cuello del cisne y en las plumas del pavo real. Hace obra de fuerza en los músculos de acero de la bestia y protege a la inteligencia en el hombre, la abeja y la hormiga.[8] Colabora en la labor humana, suya es la materia prima, el modelo y la experiencia con las cuales se ha imitado al ave en el aeroplano, al pez en el submarino. Suya es la riqueza que ha hecho posible el adelanto en las artes y las ciencias. Estudiando sus procedimientos se han levantado las maravillas de la mecánica y la ingeniería y hemos encontrado el más sabio de los maestros siguiendo en la huella de sus pasos. Casi todo lo que el hombre es y posee se lo debe. Pero hay algo en que no ha podido colaborar, que no comparte con nosotros en su carencia absoluta de los sentimientos superiores exclusivamente humanos que han creado la moral, la religión y la justicia. En la vastedad de desiertos y la gloria de noches estrelladas ha debido surgir el primer inconfesado tremor del ansia de otra vida, ha podido nacer la religión y por ley de contraste de un ambiente serenamente inmoral, la moral y la justicia. Pero estas emociones no tienen más templo que el corazón humano y fuera de él se agotan y se pierden en un mundo que no sabe de ellas. Es por esto quizá que las ciencias y las artes progresan, son fuerzas que la naturaleza comprende y ampara y es por esto quizá que heridas de incomprensión e indiferencia languidecen las otras y tales como han sido impuestas por el hombre no pasan de ser parodia, sombra de sustancias.

❧ En el camino del pordiosero todo dadivoso es un instrumento de la divina providencia, del azar o de la suerte. Si llueve sobre él sus bendiciones es más para alabarse a sí mismo por su buena estrella que para estimular resortes de caridades futuras. Su gratitud es profesional: no alcanza al hombre que le tendió la mano sino a la moneda que la mano contenía. El hombre encarnó por un momento el espíritu de caridad flotante que desciende sobre la miseria bien llorada y si creyó hacer obra de mérito laudable la ilusión o la verdad le reconforte. ¿Los grandes de la tierra que dispensan favores obtienen de nosotros una más noble gratitud?

❧ En los hechos simples de la Vida la verdad no se disfraza, aparece tal como es en su desnuda franqueza y si no la vemos somos ciegos, pero en cuando se ahonda la realidad y los hechos se complican la

---

8   Aquí se encontraba la página de incierta ubicación.

verdad cesa de aparecer en su prístina pureza, es necesario acercarse a ella, adivinarla. Cualquier hipótesis explicativa es admisible en su reemplazo. Es así como la ciencia ha progresado: sus fórmulas son provisorias, nunca definitivas. ¿Le permiten accionar libremente en el terreno de la realidad? Son buenas y aceptables. ¿Algún hecho nuevo las contradice? Pues bien, se reforman y rehacen. De quien conoce un hecho a quien lo siente la diferencia es profunda. El uno reconoce el error si el error existe y corrige su criterio, el otro aunque admita la existencia del hecho que contradice su modo de sentir no queda convencido. Una actitud es puramente intelectual y permite fáciles desplazamientos, la otra emocional y recelosa se opone a todo cambio. El encadenamiento lógico de los hechos conduce a esta o aquella conclusión pero ¿de qué nos vale si la única verdad que presentimos tiende a demostrarnos lo contrario? La realidad sometida a la inteligencia es una cosa, coloreada por la emoción es otra. Es así como vive la Religión, obra milagros la fe y crea bellezas la Poesía, oponiendo a la Verdad conocida la verdad sentida.

Hay sentimientos cuya grandeza prístina sufre por ese afán de ritualidad grotesca con que las almas inferiores traicionan su incomprensión y sus excesos. Fuera del Arte donde la forma es como un marco idealizado del concepto toda materialización es denigrante. Como el ídolo patojo parodia la majestad del dios, los ritos y las pompas excesivas parodian la grandeza de sentimientos que fuera mejor ocultar en el fondo del corazón a exteriorizarlos agresiva o vanidosamente. Se rinde culto a la torpeza y no a la Patria cuando se impone el respeto a sus símbolos y formas por leyes coercitivas, cuando se deforma el alma del niño con ceremonias y leyendas fabulosas disfrazando glorias de un pasado no siempre glorioso, cuando se miente en la historia, en el bronce, en la piedra, en homenajes y aniversarios que recuerdan odios y el fragor de luchas. El tiempo barre las pequeñas estatuas de pequeños hombres, reajusta la visión desfigurada del pasado, limpia y perdona pero ¿en nombre de qué divinidad sobrehumana se ha de imponer el culto de la Patria, las fórmulas gastadas, la vana aparatosidad que un concepto más noble de la Religión va descartando? La espontaneidad es la condición de toda nobleza innata y si hemos de buscar la realidad para expresarla no ha de ser en perjuicio de la verdad, del buen sentido y de la libertad individual porque allí donde estos sentimientos se lesionan el aire mismo de la propia tierra se torna venenoso.

❧ El padre no renace en sus hijos. Cada vida gira en su órbita marcada, constituye una propiedad excluyente, se hace o se deshace en virtud de condiciones intrínsecas intrasmisibles y si se acerca demasiado a las demás vidas es para sufrir el golpe de rudas decepciones. Rara vez la herencia conserva de padre a hijo el sello y las aptitudes personales; conserva más bien los caracteres ordinarios de la estirpe, aquello que el padre tiene de común con los demás padres y los demás hijos. El padre derrocha en el hijo un amor no siempre altruista, se enamora como puede enamorarse el creador de su obra, quiere proyectarse en ella, perfeccionarla, protegerla, olvidando que su obra es un ser viviente y como tal celoso de sí mismo, de su voluntad, inclinaciones y deseos. Todo amor es peligroso y aquél cuyos réditos han de pagarse en ciegas obediencias encierra a la larga un desencanto. El concepto de la responsabilidad en cuya virtud el hijo pertenece al padre y se convierte en su deudor por todo lo que tiene, es y vale va sufriendo con los tiempos un cambio tan notable que el día ha de llegar en que el hijo, como el hombre a su dios, le enrostre la carga que echó sobre sus hombros al darle vida.

❧ La sociedad está dividida en clases y aquélla que gobierna lo hace en su provecho. La gran mayoría del pueblo ignora el mecanismo del gobierno y le interesa poco. Más o menos todas sus formas le son iguales. Bajo todas ellas ha sufrido la misma suerte. Las tiranías que la historia reconoce no han pesado sobre él especialmente. Las que visten la forma de una aparatosidad rumbosa dentro de la fuerza suscitan su admiración; porque tiene muy poco que perder y en ese poco la libertad no cuenta. Hay en ella un elemento de ideal lirismo, de grandeza innata que el hombre de la calle no comprende, es caudal de patrimonios opulentos, el suyo es de ignorancia y de miseria. El pueblo está tan ocupado en vivir que no tiene tiempo para pensar pero tiene en cambio como todas las clases una sólida muralla de prejuicios. Son herencia de la raza y suplen la visión individual. El pueblo no piensa pero hay quien piensa por él. Interesada y desinteresadamente se han ideado todos estos ismos que han de transformar las sociedades y transformarse ellos mismos por esa ley de cambio que en la práctica deforma las doctrinas. Todos los reformadores a sueldo invocan la salud del pueblo rara vez salen de sus filas, por lo común son tránsfugas de las clases superiores. Comienzan su carrera política con una traición, menos mal si no terminan con otra, en beneficio propio y en perjuicio del pueblo.

❧ En este mundo que Dios ha creado hay de todo y para todos. La dificultad está en saber primero lo que uno quiere y luego en encontrarlo. Hay oro en cantidad para el avaro, tiempo en abundancia para el ocioso, intrigas para el intrigante y para todo corazón que sufre una mano que destila caridad, si sabe dar con ella. He aquí el problema. Es como si un espíritu travieso hubiera barajado el naipe... y en el juego de paciencia que se afana en ordenarlo se va la vida. La reina de corazones ha perdido su consorte; al fin mujer, busca la sota de diamantes pero ésta se ha escondido en un montón de bastos y así con los demás.

A veces dos se encuentran y una pareja feliz, el corazón endomingado, se encanta en la musiquilla del tiempo y olvida sus vuelcos. Un viejo Fausto la ve pasar y como su alma al diablo ha vendido tantas veces que ya ha perdido su crédito, de pura envidia se pone a filosofar. ¿No fuera mejor vivir sin empeñarse tanto en tropezar en el porqué y el cómo? La tinta enluta el buen papel, el mucho pensar ensombrece el espíritu. El Invierno ha sido largo. Hay un poco de sol esta mañana. Bebámoslo. Una vecina no mal parecida ha abierto su ventana.

❧ Nos conduelen las heridas ajenas, cuando ya desgraciadamente las tenemos propias. El pobre comparte la miseria del pobre y va más allá de sus medios para aliviarla, el rico aun cuando haga profesión de caridad rara vez simpatiza con los pobres. El mismo principio no es aplicable con igual certeza a nuestros yerros. El ladrón robado reclama justicia con igual o mayor indignación a la que demuestra el hombre honrado; tendemos a la atenuación de las faltas propias y recalcamos las ajenas, pero ello se debe quizás a que en el caso personal la fuerza de las circunstancias es conocida y admitida y a su manera disfrazan la falta que cuando es vista en los demás aparece en toda su insolente desnudez.

𝕾 La crueldad y el rigor están justificados por una ley de dura necesidad que carece de conciencia y que no puede detenerse en la elección de los medios ni mellar el filo de sus armas en consideraciones sentimentales. Si la existencia de la sociedad peligra el orden ha de imponerse sobre el tumulto arrasador y bárbaro, fuerte y despiadadamente, pero logrado su objeto y una vez que las pasiones desbordadas hayan vuelto a su cauce la severidad ha de templarse en la clemencia y el olvido. La memoria de la ley no ha de ser superior a la memoria humana ni su rencor sistemático y helado ha de ser más tenaz. El hermoso optimismo que hace de todo individuo un aventurero incansable en pos de la Fortuna ha de animarnos igualmente cuando se trata de errores y defectos. El criminal es criminal pero no con esto está dicha la última palabra y hemos de ir en busca de una soga y un verdugo. Convengamos también que si en cada hombre hay un criminal posible en cada criminal hay un hombre susceptible de enmienda y de provecho; que todo delito tuvo un motivo arraigado en pliegues naturales y sociales y si hemos de castigar porque la vindicta pública así lo quiera y el castigo en el terror del ejemplo es saludable, hagámoslo con una compasión humana que vaya más allá de la Justicia cuyo anticuado mecanismo fruto de los siglos que se han ido tritura al criminal y al hombre y a la infamia del delito agrega la infamia de la pena.

𝕾 Una indulgencia optimista nos lleva a decir que un individuo se ha hecho traición a sí mismo cuando un rasgo inesperado desentona en la armonía de su carácter. Es un error. A los fines de la vida práctica toda agrupación es clasificada por sus rasgos más salientes y las cosas divididas en categorías perfectamente definidas y distintas las unas de las otras son buenas o malas, bellas o feas, ciertas o falsas cuando en realidad un examen más detenido tiende a borrar las distinciones revelándonos un mundo más rico y variado si bien más confuso. Sólo los fuertemente constituidos y colocados en condiciones de excepcional regularidad y disciplina copian un solo modelo, muestran una sola de las muchas personas que disfrazan en los oscuros pliegues internos. Como el rico diamante, el individuo ricamente dotado tiene muchas facetas, no todas amables ni formando en conjunto un dibujo como si fueran piezas de un artístico mosaico, más bien se hallan en contradicción y mutuo estorbo y si viven bajo un régimen común lo hacen a manera de las clases cuyos intereses chocan dentro de la sociedad.

꙰ Para algunos —los menos— la Vida es una peregrinación en busca de la propia alma. No han nacido con esa paz interna que permite a otros deslizarse por las fáciles pendientes y aceptar sin réplica los favores y trastornos del momento. La visión de un mundo que corre sin descanso hacia el placer y busca en el aturdimiento el olvido les hiere el sentimiento de una responsabilidad sobreexcitada por la continua vigilancia de sí misma. Su mirada es severamente introspectiva, su conciencia de la libertad individual y de la propia insuficiencia es grande y sus culpas y las ajenas pesan sobre ellos como si fueran personalmente responsables de la marcha moral del universo. Las grandes catástrofes provocan en hombres y pueblos un renacimiento espiritual que suele traducirse por el afán de un nuevo esfuerzo en una nueva orientación de Vida pero su efecto es a menudo pasajero, los antiguos hábitos reconquistan su voluntad y muy pronto tornan sobre sus pasos como avergonzados de una actitud tan extraña a su verdadero modo de ser que por sorpresa les fue impuesta.

꙰ La verdadera filosofía del egoísmo está aún por escribirse pero en cambio ha sido y es ensayada en la práctica diaria con rara tenacidad y una constancia reveladora de la alta fe que nos merece. El hombre será todo lo vicioso y torpe de entendimiento que se quiera pero no lo es hasta el absurdo de preferir a una moral salvadora una moral suicida cuando el cambio es factible y provechoso y si se aferra con intenso afán a modalidades violatorias de códigos ideales, al menos ha de inferirse que obran a favor de su conducta algunas buenas razones, entre las cuales la del provecho personal e inmediato no es de las menos atendibles. La vida no manifiesta claramente sus propósitos ni enseña la verdad como en un libro abierto, el aprendizaje es largo, los resultados dudosos; casi podría afirmarse que la verdad no entra en su plan educacional o ha querido que sea contingente y relativa. Séanos permitido entonces en esta cuestión del sacro egoísmo humano tan diligentemente practicado y tan severamente reprochado un poco de tolerante duda. La actitud defensiva del caracol refugiándose en su concha cuando un peligro lo amenaza no ha de ser ciertamente la nuestra cuando sólo está en juego, frente a la desgracia ajena, la propia comodidad, pero es igualmente cierto que al reclamar en beneficio propio el sacrificio ajeno damos margen a un altruismo que sólo el egoísmo personal ha hecho posible.

🐝 De todas las herencias la de ser dueño de sí mismo es quizá la más penosa. La soledad es el precio de ese arrogante sentimiento de personalidad que hace de cada individuo un ser aparte, un elegido del destino, un dios, un mundo. La conciencia del propio YO entronizado en el centro del universo guarda celosamente, dignidades y fronteras en murallas de aislamiento que en vano pretendemos disimular y que nunca desaparecen totalmente. Por un momento en la expansión de la amistad o el abrazo del amor, nos olvidamos, confundiendo anhelos en focos de interés común y en su llama bienhechora confortamos nuestra soledad. Es posible atravesar un Sahara y sus llanuras abrazadas y no sufrir de ser pero es muy difícil cruzar la Vida y sus innúmeras multitudes y no sentirse solo.

🐝 Cuando el ambiente sobrecargado de responsabilidad se tornase ominoso la carcajada del bufón es un reto de valentía que vale por un mundo de resoluciones heroicas; la trama trágica se desconcierta, su imponente maquinaria armada en iras no resiste una mueca irreverente y excediéndose a sí misma pasa estallando en falso. La joroba funambulesca corrige la espalda combada por la fatiga del trabajo. Hay algo más potente que la amenazante seriedad de los hados; la burla que los vence.

🐝 El genio de la sensibilidad moral —santo o asceta— puede complicar a voluntad las dificultades para vencer con mayor honra allí donde hubo lucha, resistencia y el choque de fuerzas encontradas. Para el común de los mortales empeñado en vivir y no siempre en vivir sabiamente la menor dificultad es un estorbo y antes desanimado retrocede que adelanta. Es que el dolor que en un mundo mejor organizado debió acompañar las faltas se asocia también a las calidades y se sufren privaciones no siempre compensables en ganancias efectivas. Las ventajas ideales valoradas por las almas superiores pasan para los demás incomprendidas, faltas de ese provecho inmediato que les niega su aliciente sobre todo en las primeras arduas etapas de una remuneración. Es posible también que la humanidad empezó a pensar en ser buena cuando debió comenzar por ser fuerte. Para el bien o para el mal la voluntad si no corre a un fracaso seguro necesita de la fuerza. El morador está tan ligado a su morada que las fallas de ésta son a la larga las suyas. Todo desperfecto físico tiende a traducirse en quebranto moral y por otra parte las lacras físicas si respetan la integridad moral del individuo amenazan su descendencia agravando así en generaciones sucesivas las dificultades de la conducta. Sería difícil demostrar que el individuo como entidad moral esté a la merced de su organismo en los problemas de la conducta, haríamos bien cuando se trata de robustecer o cambiar la dirección moral en provocar un cambio saludable en las costumbres físicas. Entre otras, la higiene y la dietética esconden soluciones inesperadas y su influencia alcanza a regiones cuya altura es casi siempre inaccesible a la mera buena voluntad y toda su corte de excelentes intenciones.

𝔙 Podrá sentirse defraudado el sentimiento dramático, cuando una Julieta cualquiera en vez de inmolarse sobre el cuerpo de su amante ensaya coquetamente sus crespones de viuda delante del espejo o se dispone a gastar el importe del seguro de vida que le ha quedado. Pero es mejor que así sea y mejor también si en cada despedida hay un dejo de alivio y un dejo de escepticismo en cada espera. En el teatro donde la emoción cuesta el precio de una butaca se ha de exigir al desencanto la muerte. En las tablas de la vida donde la emoción se obtiene a precio de carnes desgarradas y terribles desnudeces hemos de ser más humanos y menos artistas y aplaudir y congratularnos cuando la solución esperada que según los cánones del Arte debió ser cruel y trágica se escurre mansamente. El verdadero dolor es demasiado grande para ser materia de espectáculo y juego. El instinto que lleva al animal herido a esconderse en la oscuridad y el silencio debe respetarse en el hombre cuando sufre y se debate.

𝔙 Si el pasado viviera en el presente a manera de cicatriz que cierra la herida o fuera como la estela que marca la ruta de la nave, el espectro de las horas corridas no guardaría para nosotros mayores inquietudes, sería a lo sumo sitio de emocionantes peregrinaciones, rico en la quietud de tumbas que engolfaron sin distingos todos los momentos y que la magia de la mente anima en imágenes fugaces, solazantes y llenas de enseñanzas. Por desgracia, en muchos casos la colocación en el tiempo que cabe a los tropiezos graves es de escasa importancia, lo esencial es que ocurrieron, que se incorporaron a nuestro ser y que en vano apresurando el paso o amontonando tierra de olvido lograremos desentendernos de su afligente compañía. Han venido para instalarse en nuestra casa, su sitio y hora coincide con el nuestro, marchan a la par de la existencia y allí donde estamos ellos están. Es verdad que la vida se renueva, que en el fondo de las más atormentantes decepciones hay semilla de nuevas esperanzas pero existe también un pasado indestructible que no admite ningún alejamiento y para el cual el recuerdo mismo o su ausencia es cosa secundaria porque ha logrado incorporarse a las fuerzas sonoras y en marcha de la Vida.

༃ Cuando el último tremor de la Vida ha cesado el derrumbe es tan rápido y completo que la misma fe religiosa animosa en otros momentos vacila y se confunde. La tumba recién abierta tiene toda la sencillez convincente de un punto final, de una detención que ninguna fuerza humana o suprahumana logrará poner de nuevo en movimiento. Después cuando el tiempo y las lágrimas han hecho su obra el renacimiento de la fe se hace más fácil, infunde su valor a la esperanza y lejos del cementerio en campos de sol el concepto de la inmortalidad recobra su imperio y es como si la vida nos hiciera merced de nuestros muertos... Pero es curioso pensar que los lloramos como si nuestra propia suerte no nos llevara al mismo término, como si nosotros fuéramos inmortales y ellos destinados al silencio y a la nada.

༃ Hay toda una filosofía, bastante difundida, que se empeña en demostrar que el hombre es un ser inteligente y libre... y hace bien, la reflexión debe primar sobre la pasión y la creencia en la libertad aun cuando fuera falsa es confortante y saludable. Pero la última trinchera en que se apoya nuestra conducta no sabe de libertad ni de razones; es un fondo de ciegas repugnancias y preferencias y cuando en los graves conflictos de la vida llegamos a un punto en que el camino se bifurca y es necesario escoger y obrar, arrojamos lejos la cartilla hipócrita aprendida de mal agrado de la razón y de la lógica para hacer pie en el viejo campo del viejo instinto. Nos sentimos más hombres y más libres y valga la traición hecha a la cultura puramente intelectual por el honor que rendimos a los maestros primitivos de la raza que nos crearon y moldearon y que al decir de Nietzsche han de llevarnos del hombre al superhombre.

🌿 Si vamos a contemplar la Vida con una perfecta ecuanimidad espiritual sin que una sola caloría de emoción entibie la sangre, nos sentiremos muy nobles y muy superiores. Pero será a condición de que el mal propio que es también por causa o reflujo el ajeno y éste el propio, no llame a nuestra puerta, porque entonces si la indignación no nos ahoga la tan decantada superioridad es cómplice de vergonzosas cobardías, la bondad ruin debilidad, la tolerancia una mancha afrentosa. Y pobre en verdad es el hombre cuya visión serena no ha sufrido el oleaje de sangre generosa que enceguece y vivifica, que no ha sabido nunca rebelarse, ni tiene un arma cuando tiene una herida.

🌿 El lujo del egoísmo es nutrir emociones que no están destinadas a transformarse en acción generosa. La compasión queda trunca cuando no alcanza al desprendimiento o al sacrificio, es fuente que satisface la sed propia y deja secos los labios ajenos.

🌿 Por ser todo deseo fuente de un derecho (¿y qué es el derecho sino la manifestación externa del deseo?) existe también el derecho a la felicidad. Quizá sea el más fundamental de todos. No sabemos cómo ni dónde ha de realizarse, vive casi siempre en las lontananzas del futuro pero se acuna en el presente, cuyos dolores y molestias mantienen vivo el afán de mejoramiento y amplitud, tan mal definido y con raíces tan hondas en nuestro ser como el egoísmo mismo. Vivimos renunciando y renovando nuestras pretensiones pero aquellas que encarnan el derecho a la felicidad son perennes y para muchos la única aproximación al bienestar que jamás conocerán. No todos hemos traído al mundo la capacidad necesaria para ser felices y menos aun para ser libres. El mendigo atáxico hospitalizado por la caridad pública no puede pretender ni a una ni a otra pero bien miserable es el organismo que vive exclusivamente en el dolor y para el dolor, sin aspirar a esa medida de felicidad que siente le corresponde indiscutiblemente y fuera cruenta injusticia negarle, como parte de su herencia en la Vida.

🌿 En el hombre la ternura sentimental no es peligrosa. Es una forma de debilidad que no le lleva a mayores sacrificios, se escurre mansamente contestándose a sí misma. Es más bien un agotamiento que una fuente creadora de pasiones impulsivas. Su corriente es de renunciación y paz, refleja la visión amada sin la inquietante perturbación del sexo o tan atenuadamente que el llamado que hace al deseo es sólo a manera de un riesgo interesante. No así en la mujer, su debilidad innata, si la libra a menudo de arrebatos pasionales, la lleva por una pendiente siempre dispuesta más allá de su voluntad y su conveniencia. Su sentimentalismo es la forma usual en que se expresa; todas sus manifestaciones lo encarnan y cuando cubre sus horas afectivas, basta para poner en movimiento los resortes de un instinto que tiene fines propios y que la utiliza como instrumento haciendo caso omiso de su felicidad personal.

🐝 Cuando el vivir se prolonga en el tiempo más allá de la salud, su vejamen característico es el cansancio, un cansancio que denigra y obra tanto en lo moral como en lo físico. Las tendencias fundamentales del carácter siguen siendo lo que eran, su transformación es lenta. No siempre aquellas pasiones que hincharon la Juventud se apaciguan o mueren, las hay de una persistencia cruel que nos sacuden enojosa y estérilmente. Se asemejan a jugadores que por largo rato tras el juego perdidoso barajan el naipe. En la imposibilidad del esfuerzo que otrora logró su contentamiento nos mortifican con insistencias seniles. Toda solución parece entonces mala. El deseo frustrado o satisfecho conduce al mismo descontento. Es que las fuerzas faltan que han de satisfacerlo o han de reprimirlo. ¡Todo es vanidad! Esta es la única sabiduría que al final nos resta y no es ni consoladora ni buena.

🐝 Si sabemos escuchar, cuando se habla fuerte de derechos entendemos sólo queja de egoísmos.

🐝 Admitamos que la trama misma de la estofa humana es de error y de engaño pero admitamos también que sólo hay un delito verdadero; la crueldad. Los demás, los que llevan el nombre de tales son hechuras de exigencias y egoísmos del momento, ascos e hipertrofias del sentido moral que están muy de más en las tablas de la ley. El grito del dolor humano o Infra humano es muy distinta cosa, mide la gravedad de la ofensa y la registra en caracteres legibles de todo tiempo y toda la vida. Debemos acudir a su llamado. La estupenda barbarie de la sanción social es un error. La crueldad no se corrige con la crueldad.

La sombra de una cárcel es tan dolorosa como el recuerdo de los crímenes que encierra.

※ El éxito se basa en el fracaso. El vencedor debe su triunfo a los vencidos. El laborioso destinado a descubrir la verdad cumple su misión porque hubo muchos otros no menos laboriosos destinados a caer en el error.

※ Con grave entonación y alto relieve moral hablamos de sacrificio y deberes sobre todo cuando juzgamos la conducta frente a responsabilidades que no nos alcanzan. La verdad es que cuando nos muerden en carne viva pensamos de muy distinto modo. Nadie está dispuesto a sobrellevar responsabilidades molestas más allá de las sanciones que las amparan. La impunidad les es fatal. Los casos de conciencia son rarísimos y disponemos de excelentes razones para hacer esto o dejar de hacer aquello si el deber en un entonces ineludible hoy es molesto, aburrido o gravoso. El tribunal de la propia conveniencia sabe de fallos rápidos y de deberes tan respetables como aquéllos que tuvieron su origen en las conveniencias ajenas. Por otra parte es inútil predicar heroísmo a los cobardes y ¿quién no lo es cuando el deber se convierte en una carga demasiado pesada para ser llevadera? No es una la moral; es tantas como existen conciencias y las hay también para todos los momentos y circunstancias.

※ La mujer no es un problema. De cuanto nos interesa dentro de la complejidad humana, es quizá de lo más elemental y simple. Su inteligencia no es despreciable pero es utilitaria y práctica, sus pasiones rara vez la llevan más allá de los límites que su propia debilidad, más de lo que el hombre y la sociedad le imponen. La esfera superior a que alcanza el pensamiento masculino en sus finas espiritualizaciones es en ella obra de imitación y no de genio por eso encontraremos siempre en su alma un eco atenuado de la nuestra y en las horas ligeras de la Vida que son tantas y tan buscadas la más perfecta comprensión y simpatía. En el nivel inferior en que el hombre la busca y la desea es nuestro igual y tiene entonces la ventaja de no hallarse cohibida, por la intuición vaga y subconsciente si se quiere, de una más alta noción de la existencia.

🌱 La infancia no nos abandona. Sobre ella los años levantan su estructura imponente que la vejez despinta. La segunda infancia de los viejos, ruinosa en la apariencia es en el fondo la eterna persistencia de la primera y única. La seriedad afanosa de la Vida es grande pero es al fin una impresión pasajera, deforma pero no destruye totalmente el sello radioso de la infancia. El abuelo y el nieto se entienden porque siempre se han entendido, ese algo que los une no se rompió jamás. El abuelo es en su alma un niño que olvidó sus juguetes por otros juguetes y quizá perdió en el cambio.

🌱 Era la tarde del sexto día. La quietud del ambiente presagiaba la hora del descanso merecido. La labor genial que separó la luz de las tinieblas, creó el mundo, dando a cada uno de sus átomos función y sitio preciso, tocaba a su fin.

El Dios de la creación contemplando su obra la encontró buena. En agua, tierra y aire la multiforme vida atestiguaba la opulenta grandeza de la mente infinita. El polífono coro de inmensas voces cantó el primer hosanna. Iluminose de bondad el rostro divino, extendiose sobre todos los seres en amplio gesto de bendición la luminosa mano y los divinos labios dijeron: —Devoraos los unos a los otros—.

🌱 Fuera, la cólera del pueblo mordía amenazante las piedras del castillo. Un clamor confuso llenaba los aires. La calle estaba empedrada de rostros y de puños. Bajo la seda de sus libreas achícase el corazón de los lacayos y grita el Amo: —¿Qué nueva locura es ésta? ¿Es que piden más pan o menos trabajo? ¡Abrid las bodegas y graneros, que corra el vino y se abarate el trigo! —Inconfesable audacia —le dijeron—, el pueblo clama por algo más grande y más inaudito, ¡tiene hambre y sed de libertad!

Se aquietaron los músculos en el rostro del Amo y dijo: —Mejor así, ¿quién separa la sombra de la sustancia? Entregad al pueblo un trapo rojo y un gorro frigio.

🌱 La libertad encastillada en la conciencia es de bien pobre estofa, vale cuando armada de la acción imprime sus voliciones en el mundo de los hombres y las cosas, cuando tiene batallas que librar y dispone de ideas y ambiciones, cuando se corre un riesgo en cada esfuerzo. Es entonces la más bella y noble de las creaciones humanas. Se puede morir por ella sonriendo a la muerte. Si el humano luchar ha de alcanzarla en toda su plenitud algún día, si es un ideal factible o un ciego anhelo poco importa, bástanos saber que es el resorte de la voluntad más poderoso que existe, que somos capaces de amarla intensa y aferradamente y que ella a su vez nos calienta cuando todos los demás fuegos empalidecen y al fin se apagan en cenizas.

❧ Los resultados prácticos de la filosofía en sus tentativas de acercamiento a la verdad son y serán siempre discutibles porque no existe quizás una verdad sino muchas verdades contradictorias entre sí, porque la filosofía en su mirada de conjunto descuida el detalle y se sitúa lejos del movimiento real de la vida. Es el espíritu filosófico lo que vale o sea la capacidad intelectual para disociar un fenómeno o grupo de fenómenos de su inmediata hora y sitio aquilatando su valor serena y reposadamente. Las necesidades y pasiones del momento le son indiferentes. En su amplia quietud hay bondad y tolerancia.

❧ La alegría humana no tiene confianza en sí misma, por eso es tan a menudo un espectáculo que incita a reflexiones tristes. Su desnudez es vergonzante, su andar incierto, arrastra consigo siglos de afán y lucha, pide disculpas, se jacta de su moderación cuando debiera aventurarse por regiones fronterizas a la locura para traer de ellas a la chata sensatez del mundo un soplo correctivo. ¡Pobre payaso! ¡Ay de tu importancia sobrehumana, fueros y respetos que al final de su día encontraran un cajón más o menos ajustado a su medida, si es que el agua, la tierra o la llama infidentes no abaratan con escasa cortesía tus funerales!

❧ Estamos con razón orgullosos de la obra de un Zola, de las páginas de un Flaubert pulido y armonioso, de la grandeza sonora del Dante, de la imaginación de Shakespeare pero cuando pensamos en todas las maravillas de la naturaleza, una punta de cuyo velo apenas ha levantado la ciencia, en toda la infinita poesía de la noche estrellada en la inmensidad de los horizontes humanos que una escuálida metafísica ilumina imprecisamente, las páginas más brillantes de la labor literaria parecen ensayos deslucidos, escuálidas armazones que aguardan la rica tela de la realidad que debe y ha de cubrirlos algún día.

🦋 El afán de afirmar sintéticamente una verdad no basada en el mayor número posible de antecedentes es el más fácil y a la vez seductor de los vicios en que incurre nuestra inteligencia. Una ley de economía mental es en parte responsable de la inmensa mayoría de generalizaciones prematuras que a diario emitimos y que se encuentran a granel aun en las páginas de los libros más reputados. La labor paciente que estudia y pesa los hechos con independencia absoluta de la teoría filosófica a que pueden conducir y no teñida de antemano por los prejuicios personales del observador es tarea casi sobrehumana y tan ingrata que la mente misma se resiste a ello y adelantándose a los hechos forja la teoría en que pretende luego sujetarlos. La agrupación así efectuada no es nunca el resultado fijo, por decirlo así, de la propia cohesión de las partes sino más bien de la fuerza imaginativa del creador víctima inconsciente o consciente de su pereza intelectual y del atractivo literario de encerrar en períodos bien redondeados el fruto de su escasa experiencia. Es por esto quizá que hay tantas teorías erróneas como hay hechos más observados y que la misma serie de datos conduce a tantos fines opuestos, sirve tantos propósitos. Podría sin embargo decirse que toda afirmación sintética es un mero ensayo de verdad, andamiaje necesario del edificio sólido a construirse y que tan sólo a ese título forma parte del edificio mismo y podría también decirse que sólo cuando hayamos agregado el último ladrillo del último hecho tendremos una noción exacta que sea el fallo inalterable de la verdad si es que la verdad existe o tiene algún valor objetivo.

🦋 En las relaciones de la vida diaria debemos exigir la sinceridad castigando duramente su ausencia pero es justo reconocer que el valor intrínseco de una opinión cualquiera no gana nada en verdad por el hecho de que su autor la haya emitido de perfecta buena fe y en el pleno convencimiento de que expresa con exactitud su pensamiento. El calor emocional que acompaña las manifestaciones más robustas de la personalidad da fe de nuestro interés, vale como cantidad emotiva sin llevar en sí el sello de una mayor autoridad o eficacia. La sinceridad es una fuerza, obliga a la convicción ajena casi en la misma medida en que sustenta la propia pero no excluye el error ni la ceguera y el prurito que la impone valorándola por encima de todas las demás condiciones es una simple majadería o esnobismo intelectual.

꿈 Aquellos que intensifican en su conducta los vicios del medio ambiente se exponen no tanto a la indignación de los virtuosos que sólo ven en ellos ejemplos extremos de fallas demasiado vulgares, sino más bien a la justa ira de los hipócritas que los injurian y persiguen como a caricaturas peligrosas de sí mismos.

꿈 Cuando afirmamos que la naturaleza es inimitable nos referimos a lo que hay de esencial en su belleza. La mano del artista reproduce con más o menos fidelidad el color y la línea, es decir, reproduce la apariencia que la naturaleza viste, la trama superficial en sus elementos componentes y aquí la copia termina. La fidelidad del ojo y de la mano por grande que sea no puede darnos ese algo indefinible, maravillosa expresión de vida que no es ni el color ni el trazado. La belleza del modelo es inviolable, no pasa nunca a la copia; guarda avaramente el secreto de su encanto. La copia siempre es relativa. La perfección de la vida no es la perfección del arte ni ha de juzgarse con el mismo criterio. El talento del artista está en sustituir una armonía por otra, infundiendo en su creación la fuerza de su propio genio. La naturaleza se le ofrece como una fuente de inspiración y como punto de partida de toda iniciativa estética pero no puede darle el ritmo de su íntima belleza. En materia estética, arte y naturaleza pertenecen a dominios distintos; lo que es fealdad en el uno puede ser belleza en el otro, su diferencia es cualitativa y no cuantitativa. Si así no fuera la misión del arte sería el engaño y cualquier trozo de vida estéticamente superior al más exacto de los cuadros.

꿈 El pueblo no conoce la libertad. Se conforma con la sombra de sus símbolos. ¡Bien puede la autoridad en horas aciagas hacerle merced de la bandera roja y de la Marsellesa!

꿈 La noción de una Justicia única e indivisible, personificada en la diosa que empuña la desnuda espada y lleva los ojos vendados, no pasa de ser una mediocre ficción. La verdad es que hay tantas diosas de los ojos vendados como hay razones para obrar en un sentido u otro, que hay la Justicia de los débiles y otra muy distinta la de los fuertes. Pero el mundo, ante todo, no es razonador ni analítico, prefiere por oscurísimos motivos la unidad a la pluralidad y por eso cuando se habla de Justicia los más opuestos intereses la invocan y no llegan a entenderse.

No es de extrañarse que el resguardo de la salud, cuando no sufre o mengua, sea para nosotros cosa de tan poco monto que no fijamos en ella la atención, porque en verdad todo bien que nos obliga a una gratitud constante es imperfecto y la salud es por esencia un equilibrio mental y físico tan completo que excluye necesariamente la inquietud y cuidado que acompañan a las dádivas de inferior calidad.

La moral de uso diario no se escandaliza fácilmente, está demasiado cerca del corazón humano para excederse en inútiles intransigencias. Sus distingos no son ni numerosos ni sutiles. La pobreza de sus exigencias deja libre a la tolerancia un amplio margen y ésta es quizá su virtud más remarcable. Tolerancia, más tolerancia y siempre tolerancia, al juzgar de la conducta ajena, al analizar la propia en casos de duda, en modas y prejuicios, en las mil pequeñeces que diversifican y sólo dividen allí donde una oposición intransigente las agranda o envenena.

El suicidio como arma del fuerte que prefiere al lento agotamiento en la lucha perdidosa, la trágica renunciación no es ni laudable ni reprochable. Es un hecho que carece como tantos otros hechos de etiqueta o marca moral. La persona tiene sobre la vida una posesión a corto plazo y a título precario y si cree oportuno terminarla bruscamente o agotarla al por menor en el diario expendio de fuerzas, ejerce un acto que, por la sola circunstancia de interesarle honda y personalmente, es del resorte íntimo de su conciencia, donde a nadie le es permitido entrar con ínfulas de Juez. Las responsabilidades rehusadas y el mal ejemplo, si es que el ejemplo del suicidio es malo, son consecuencias forzosas de la vida en común y fácilmente compensables, pues el beneficio que el individuo aporta a la sociedad no es mayor que el beneficio que de ella recibe y por esto su voluntaria eliminación no la perjudica mayormente. El criterio moral o jurídico que condena el suicidio no lo hace en virtud de prejuicios religiosos mal disimulados, puesto que el auto abandono y sacrificio de intereses terrenales son formas aceptables si atenuadas del mismo mal, sino más bien porque choca ese instinto fundamental que impone el vivir aun cuando el vivir sea una carga lastimera y que es responsable de tanto cadáver insepulto que mancha las calles de la vida.

❧ Nadie voluntariamente abandona un esfuerzo en presencia de la meta deseada prometedora de resultados ciertos. Los obstáculos mismos si no son demasiado numerosos y tenaces estimulan el deseo de vencer y son en consecuencia factores importantes del éxito. La inconstancia cubre casi siempre fallas más graves y se aplica a manera de lenitivo al amor propio irritado por el fracaso. El hombre en la persecución de sus deseos es tenazmente optimista y no se desanima fácilmente como lo evidencia aun en aquellos casos en que el logro es trivial o mezquino comparado con el esfuerzo necesario para alcanzarlo. El desaliento es fruto de duras enseñanzas o el reconocimiento de limitaciones íntimas insospechadas de aquéllas que juzgan la labor ajena y complementan luego su juicio con los hechos que el tiempo solo revela. Hay límites que la constancia más firme no logra alcanzar por cerca que estemos de la raya salvadora. El talentoso como el mediocre lo saben y se escudan en la inconstancia.

❧ Sólo toleramos la Verdad diluida y floja. Somos demasiado débiles para soportarla en toda su varonil fiereza. Nos hiere el verla, el decirla y el escucharla. Eso sí nos place discutirla en su faz abstracta y lejana. Si la verdad filosófica, la verdad científica, es motivo de afanes y de orgullos pero en cuanto intentamos acercarla al propio yo y cobijarla bajo el mismo techo instintivamente la rechazamos. Las murallas chinas que nos cercan no son restos de un pasado informe que se obstina en acompañarnos con convencionalismos mentirosos creados a manera de defensas contra el embate de realidades demasiado excesivas. Lo muerto se desprende de la vida y queda en el camino. Si el pasado nos estorba es porque el presente es flaco y pobre, ha de amonestar en su miseria de engañosas apariencias. La humanidad timorata y femenina tiene poco de audaz o aventurera. Su paso es doloroso, cede, cambia o se apresura cuando dura necesidad la obliga a ello. Se aferra a la mentira porque es ésta dócil y maleable y conforta su egoísmo y su flaqueza y puede mirarla en los ojos sin temblar. Todas nuestras creaciones la contienen, el altar, los estrados de la justicia, la moral y las tablas de la ley. El feroz egoísmo que defiende la propiedad individual y la herencia, pilares del actual orden social, arraiga en último término en una serie de pequeñas cobardías —desconfianza en sí mismo y en el futuro, temor a la pobreza, orgullo de familia—, cobardías que ocultamos luego mintiendo en moral, religión e instituciones sociales. Si bien hay algo pegajosamente amable en la mentira es casi bueno ensuciarse en ella.

🖎 Todo esto —nosotros mismos y cuanto nos rodea— tiene aire de cosa acabada y provisoria. Lo definitivo y estable o no se halla en el programa de la Vida o se va ubicando de día en día en un mañana siempre más lejano. Lo hecho inatacable en la inamovilidad del pasado aun cuando sume ganancias no nos satisface. La labor tal como fue pensada y sentida no abraza jamás la realidad. Si un momento la encuentra es para deformar y cambiarse en algo que es y no es lo que habíamos deseado. La plena perfecta madurez, el medio día del esfuerzo, si llega es para defraudarnos y nos queda la impresión de que hemos andado mucho y fatigosamente. Hubo, es verdad, un prólogo largo y generoso, o muchos prólogos, ensayos y tentativas desde los cuales vislumbramos magnífica la obra que no pudo o no supo completarse.

🖎 Es por el cuerpo que se llega al alma si es que la anímula vágula blandula existe. El sendero es oscuro y doloroso. En la carne que sufre, se corrompe y se renueva está el único medio de que disponemos para vigilar y dirigir aquello que hay en nosotros de espiritual y noble. La llama de la inteligencia se nutre en grasas de humildísimos tejidos. Si la bestia ha de transformarse en hombre y el hombre ha de realizar y mejorar sus sueños actuales —y no otra cosa por el momento, su moral, su religión y su justicia— debe velar preferentemente por el organismo que si no encierra su todo, es al menos la envoltura indispensable de cuando piensa siente y quiere. Los problemas e incertidumbres del carácter y la conducta son en su base problemas químicos y se resuelven —si esto es factible— en los dominios de la dietética y la higiene.

🦂 Los reyes y la pompa de sus cortejos, lo grande y lo trágico tan espléndidamente dramatizado que sólo de la trama vemos lo espectacular y noble. Ésta es el teatro y la novela de la historia, la que miente, nos conmueve y nos encanta. La historia real no la conocemos, se desarrolla fuera de la escena y las pintadas bambalinas. Es tan triste que nadie la ha escrito todavía. Diríase un camino fatigoso hecho de miseria y sangre. Siempre el hombre en guardia y acechanza del hombre, cuanto más próximo y hermano más odiado, cuanto más pobre más temido. Siempre el gesto valeroso escudado en la espada o la daga; el templo enriquecido con frutos de saqueos; la libertad comprada amontonando ruinas y cadáveres, ignorancia, injusticia, maldad... y la triste caravana humana que sigue hacia la nada manchada de barro y sangre.

🦂 Al final cuando todos los valores sufren y se alteran como si el caleidoscopio moral se hubiera movido bruscamente es el recuerdo de nuestros amores el que más nos conmueve. De sus tumbas olvidadas surgen las novias que fueron, aquéllos que nosotros amamos y aquélla —¿es que realmente hubo alguna?— que nos amó. El agua lustral del tiempo ha corrido generosa borrando agravios y traiciones y vuelven a nosotros inmaculadamente blancas como la nueva luna.

Triste tarea la del Amor triste y seria, pero en verdad la única que vale por todo lo demás que el mundo puede concedernos. Labor, oficio, profesión. ¿Qué fueron? Míseros expedientes de ganapanes.

La vida ciudadana, el patriotismo ¿qué son? Vanidad y mentira, sentimientos bastardos que no nos salvan del odio ni nos llevan al sacrificio. Sólo en el amor pusimos toda la verdad que había en nosotros y si un vano reproche nos molesta es que no supimos o pudimos amar en la más amplia medida de nuestra fuerza, que no fuimos asaz generosos.

🦂 La paz perdida recóbrase en la acción. La labor metódica orientada hacia fines prácticos, es la única capaz de librarnos de ese afán que, en el análisis y el eterno insistir en la faz emocional desgasta las energías vitales. El culto de sentimientos paralizantes del esfuerzo y llamados a debatirse en estériles contemplaciones de sí mismos no presupone una mayor riqueza emotiva o sensibilidad anímica. Por el contrario, es propia de mentes enfermizas, incapaces del generoso arranque que lleva a la acción y lleva al olvido y despliega sus mejores condiciones al oponerse al espectáculo casi siempre innoble del auto-drama en sus desplantes. El caso del poeta que llora en público no es para el común de los mortales un buen ejemplo ya que no es dado a todo el mundo capitalizar sus rajaduras internas y vivir del rédito armonioso de sus lágrimas.

🕉 Por grande que sea el significado que atribuimos al reconoci-miento de nuestros errores no logramos torcerlos de la finalidad que les es propia. Son refuerzos ciegos que se agotan con independencia de nuestra voluntad y cuyas remotas consecuencias nos escapan. Tienen nuestros yerros una muy tenaz memoria y se acuerdan de nosotros y nos fastidian cuando las circunstancias mismas que los originaron son polvo de olvido. Algunos, y no los menos, son de antiguo abolengo y no habiendo podido saciarse en aquéllos que los originaron, exigen su cuota de dolor en las generaciones siguientes. Más allá de la memo-ria y del perdón humano persiguen sus instancias; dioses inexorables cuya aritmética monstruosa arroja siempre un saldo en nuestra contra.

🕉 Aquello de que no deseamos lo imposible es sólo exacto cuando sus fronteras se hallan ubicadas más allá de la voluntad y de la imagi-nación. Pero es el caso de que nuestros deseos imperiosos tienen una noción exagerada de su propia importancia y una lógica que no les permite medir la eficacia de los medios puestos en juego, ni la distan-cia que separa el esfuerzo de su realización. La tragedia de la vida está en parte en el eterno esforzarse hacia metas distantes que esterilizan fuerzas que hubiera sido fácil emplear en más próximos afanes. La *aurea mediocritas* cantada del poeta es, por cierto, programa de modes-tos contentamientos, de timidez y reservas, pero tiene la ventaja de no ser dramatizable en la propia persona de sus exponentes, que tienen siempre en el espectáculo de las vidas ajenas, más arriesgadas y ambi-ciosas, la emoción de grandezas cuyo significado en fuerza y estéticas les proporcionan placeres, por decirlo así, de comprensión, sentidos por reflejo y no vividos en carne propia. En el teatro como en la reali-dad los sitios más cómodos están reservados a los espectadores, que se estremecen y aplauden cuando el telón cae sobre la última escena. La conciencia de que no tendieron al *maximum* el arco de sus ansias, que rehusaron su cuota cuando otros arriesgaron su todo, no les inquieta, fue para ellos lo imposible y no los tentaron.

꒰ La vanidad ronda inquieta en torno de nuestros actos dramatizándolos a su modo e inventando hipótesis que los expliquen sin herirla. Nos colocamos en situaciones risibles y, lejos de considerarlas como tales, sentimos la vanidad comprometida por la ajena carcajada. Calzamos el coturno trágico y sacrificamos gustosos a Melpómene lo que sólo es digno de Talía. La conciencia de nuestra propia importancia es tan grande que todo cuanto la afecta se torna adusto y serio. Urdimos un complicado sistema de falsedades para disculpar nuestros yerros y abultamos su trascendencia. Preferimos la ira que azota a la chanza que ridiculiza. Situaciones que pudieron evadirse con una sonrisa, más o menos amarga, se agravan en gestos desmedidos. La grandeza puntillosa de nuestro yo tiene algo de tétrico y sagrado, el mundo ha de acercarse a ella con el sombrero en la mano. Los actos que encarnan nuestros prejuicios por ser nuestros son respetables y es sello de buena cultura extender a los ajenos la misma afectación.

꒰ En materia artística, el progreso si lo hay se abre en un fácil cauce. Escuelas y sistemas evolucionan, envejecen y se suceden con rara facilidad. A su respecto los hábitos mentales no ofrecen una mayor resistencia. Novedades extravagantes son acogidas con marcado interés y se les presta una protección que en la mayoría de los casos es muy superior a sus méritos. Las ideas e instituciones político-sociales también evolucionan pero fuera del libro y la cátedra; su desarrollo es casi puramente intelectual. En la práctica encuentran la resistencia de intereses sólidamente organizados que miran con sospecha toda tentativa de innovación que pueda desalojarlas de las posiciones ventajosas que disfrutan. Resguardadas por la tradición y la costumbre e incrustadas en egoísmos seculares tienen un tan hondo arraigo que desafían impunemente toda otra razón o derecho que no sea el de su exclusiva invención, creado especialmente para resguardo de sus propios fines. La bondad de su origen histórico las ampara, fueron impuestas por la necesidad o la fuerza, y aclamadas por el éxito, que es al fin la única verdad que está al alcance de todos. El tiempo no deja de afectarlas, pero se transforman muy lentamente rehaciéndose sobre sus bases, en tal forma, que sus propósitos primitivos, si cambian a menudo en la apariencia es para esconder mejor su realidad inmutable. Religión, propiedad individual, patria, hogar, gobierno están hoy como hace mil años paralizados en moldes herméticos y fórmulas inviolables, no porque sean rebeldes a la vida en marcha en su ley de mutación sino porque protegen pretensiones de raza, casta y clase, cuyos intereses esencialmente pecuniarios son y serán quizá siempre más fuertes que las tendencias innovadoras que los asedian, sea cual fuere la grandeza de altruismo, justicia o verdad que estos últimos invoquen.

🐾 Los políticos y estadistas influyen muy poco en el alma de los pueblos. Son instrumentos utilizados a manera de cuñas por partidos y clases para vencer las resistencias de otros partidos y otras clases. Su poder no radica en sí mismos por grandes que sean las aptitudes innatas que desarrollen en su acción, fluye de fuentes cuyo control no les pertenece. Más poderosa que la voluntad es la voluntad de los intereses que representan. La historia podrá arrojar sobre ellos una mirada excluyente y llenar por largos períodos sus páginas con su solo nombre. Llámense César o Bonaparte, son creaciones del ambiente. Su divinidad es de la naturaleza de los ídolos y símbolos. El genio de los pueblos los educa y llegado el momento los empuja al frente para que sirvan de bandera y los abate sin piedad cuando exhiben una personalidad que no armoniza con su misión forzada. Pese a Carlyle, la historia de los pueblos no es la historia de sus grandes hombres.

🐾 La ira de los fuertes se expende en un arranque único y, cuando la crisis ha pasado, germina pronto en ellos el olvido. Así proceden los hombres que son hombres y son fuertes. La ola ruge y pasa y la playa se limpia y se despeja. Las mujeres, más débiles y lacias, no pueden librarse tan fácilmente de sus pasiones. Se resuelven tardíamente a la acción y la ejecutan de una manera tan incompleta que por largo tiempo el fermento de sus iras bulle y estalla en crisis que jamás la agotan ni permiten el perdón. La historia de su vida suele ser la historia de sus odios periódicamente renovados en arranques infructuosos, odios que fueron en su comienzo por ingrato contraste afectos y ternuras. Donde el amor no sembró sus besos el odio no destila en ellas su veneno.

🐾 Si bien se mira, toda la verdad que encierra una situación cualquiera está formada por un tejido multicolor de contrastes y armonías. La verdad principal es sólo el tono predominante o aquél que por una razón u otra de preferencia nos interesa. Pero hay muchas otras verdades en el fondo oscuro y el tiempo suele iluminarlas y aquello que creíamos esencial y firme y fue biblia de juramentos y decisiones pierde la virtud de su verdad y relegada a un segundo término se funde en el engaño.

☙ Hoy, la hora actual, la vida en su estrecho y único contacto inmediato significa muy poco para nosotros. En un tiempo de espera, un momento de transición hacia el Mañana. La extraña sensación de un eterno viajar nos acompaña. Es necesario apresurarse, todos los dones que la imaginación atesora están allá en esa fantástica última Thule ¡que no se alcanza nunca! ¿Es que el hombre, como algunos piensan, aborrece la verdad y sólo ama la mentira? ¿Es que la verdad del momento fugitivo es trunca y triste y hay otra más espléndida y segura en los soles que vendrán? La noche, el día ¿son acaso tolerables sólo porque anuncian la promesa de otra luz y de otra sombra? —Hoy no, mañana —una voz que no calla lo repite—, estás en el camino, tu casa es una carpa, levántala y en marcha—.

☙ En su conjunto, las energías personales no proceden de la misma fuente ni siguen la misma dirección. Cada una de ellas vela por intereses que le son propios y se estorban a menudo en su funcionamiento. Tenemos un amo distinto en cada una de ellas y no es posible satisfacerlos a todos. Dentro y fuera de las energías instintivas impera el Dios de la dura necesidad. Su voluntad es suprema, facilita y obstruye, marca límites y fronteras. Encuadra perfectamente en la concepción mecánica del universo, es la medida y la cantidad, la dirección y la forma de todas las cosas. Puede aislarse de las energías instintivas que forman la personalidad, de las fuerzas químicas y físicas en que se disuelve el átomo o el sistema solar, pero las rige a todas imponiéndoles el molde de su ordenamiento, la armonía o la confusión. Bajo una de sus múltiples fases es quizá la resistencia que la materia ofrece a la explosión de vida que la mueve. Es la resultante del flujo y reflujo de energías que se entrechocan, combinan y el espíritu ordenador por excelencia, que dicta la Ley a las leyes menores de la gran marea universal. Los hombres la conocen bajo el nombre de fatalidad o destino. Es la única realidad que no admite réplicas ni discusiones, es el último hecho en la serie cambiante de todos los hechos. El tropismo de la flor que busca la luz o del alma doliente que anhela la libertad la conocen. El margen de tolerancia que disfrutan y el límite de su acción están determinados de antemano por ella. Nuestros instintos y la ley de la dura necesidad son los dioses de la vida. Cada uno de ellos tiene su moral, su estética y su razón. La voluntad como fuerza independiente puesta al servicio de nuestros deseos, favorecidos en las contiendas de la expresión, es una mera ficción psicológica, fruto de insaciables orgullos como lo es el sentimiento de la personalidad concebido como una fuerza indivisible que trabaja hacia un fin determinado. Una tal ilusión muy pronto nos abandona. Cada instinto nos lleva por una senda diferente, se manifiesta a su manera y sólo tiene en común con los demás el organismo que habita y el hecho de que para nosotros todos terminan en la extenuación y la mayoría de proyecciones ulteriores más allá de la conciencia, si es que existen, nos son vedados. Si trabajan para la humana vanidad y sus sueños exclusivamente, si la colmena del yo es su último destino, no lo sabemos. Aun lo absurdo cesa de serlo cuando se realiza y la esperanza es llave de muchas posibilidades.

☙ La miopía intelectual es grande. Es siempre mayor de lo que imaginamos. Las pupilas que abrimos sobre el mundo lo contemplan con la comprensión heredada de los millones de espectadores que fueron nuestros antepasados. Es verdad que de sus ojos a nuestros ojos, el espectáculo ha cambiado, el decorado es distinto, los actores son otros, pero lo que realmente tiene de interesante la tragicomedia llamada Vida, única obra que se representa en el escenario del mundo, es lo que ellos, nuestros antecesores, vieron y comprendieron y que por ley o capricho de herencia es lo que nosotros, que hoy ocupamos su sitio, estamos obligados a ver y comprender. A largos intervalos un favorito de los dioses descubre la primicia de un detalle nuevo y la visión intelectual del mundo se enriquece. Los errores visuales trasmitidos de padre a hijo son nuestros prejuicios, son cuadros pintados en nuestro cerebro que carecen de modelos en la realidad. Los ojos de los muertos son nuestros ojos.

☙ Ésta es la canción que la mujer canta al hombre. Soy mujer y soy deseable. Huyo para que tú me alcances, quiero darte la ilusión de una conquista, venciéndome a tus ruegos vencedora.

Soy mujer y soy deseable. En mi rostro la primavera de las rosas es eterna, el sol de mis ojos no se abate nunca. Yo he escuchado de los labios del mundo el cantar de amores y lo he amasado en besos para que tú lo comprendas mejor.

Soy mujer y soy deseable. Las manzanas de mis pechos maduraron en los jardines del paraíso, soy la seda de los nidos, la sombra adormecida bajo el bochorno solar, invitándote al descanso.

Soy mujer y soy deseable. Si buscas la belleza yo soy la perfección del espejismo que persigues, una sola curva de mi cuerpo, vaso sagrado, refuta el saber de toda tu adusta filosofía. Soy creación de lo infinito y de lo eterno, abandóname y has repudiado tu herencia y el polvo de los áridos caminos te verá pasar, vagabundo, sin hogar.

Soy mujer y soy deseable. Bálsamo soy y soy ternura, mis brazos abiertos, para ti, mi prometido, son cruz de redención, sálvate en ellos.

⅗ El hombre no encuentra en la naturaleza el sedativo que ha de curarlo en hora febril atropellada de deseos. La virtud de su calma aparente exaspera. El ritmo de vida que la anima es inferior al suyo y por ley de contraste agrava la inquietud y la desgracia. Sus arranques guardan a los arranques del alma sólo una analogía poética. Su faz es esencial es de reposo, alejamiento, indiferencia. Piensa en cosas olvidadas y remotas, la humana miseria no la aflige. Las altas tensiones anímicas si reparan en su belleza la encuentran también inhumana y fría. No es por razones económicas tan sólo que las ciudades se repueblan de campesinos miserables. Por los campos en flor y las altas montañas soñadoras los olvidados de la suerte pasan rumbo a la colmena humeante de afán y de trabajo. No así el convaleciente, el extenuado. La paz de los trigales y las cumbres le es propicia. Sus fuerzas corren a la par de fuerzas amigas, benéficas y sanas. Encuentra la armonía, no la disonancia de ritmos diferentes. El tono de su vida coincide con el ambiente reposado y su belleza sonríe a esperanzas de salud y de fuerza.

⅗ Porque el hombre trae vida a la vida, heredada de aquello que al sufrir y gozarla llenaron la medida de sus horas, bástale, a su vez, para sentirla rozar la superficie intranquila sin lanzarse de lleno a la corriente. Un tal vivir, si se quiere, es de reflejo, a la distancia, amenamente, pero contiene en su vasta complejidad todos los elementos emocionales de la varia experiencia humana. En atenuado recuerdo a través de nieblas que la imaginación sólo colora en la semblanza de la loca realidad suplimos la desnudez externa con la rica efervescencia prestada de otras almas. En las cuerdas del violín o las páginas del libro, temblamos al riesgo de aventuras prodigiosas, escalamos a media noche el almenado muro, en sed de amor o sed de sangre, calentamos el corazón a la lumbre de brasas que no queman y vivimos por momentos la gran vida trágica en escenarios dispuestos por nosotros en medio del ambiente vulgar, monótono y tranquilo.

🦂 El grito del dolor humano es un llamado imperativo. Allí donde detiene y convence, todo otro argumento está de más. Es verdad que no pecamos por exceso de lógica, que no ajustamos nuestros actos a consideraciones puramente intelectuales y que, aun cuando creemos hacerlo, nos mueve en el fondo algún oscuro sentimiento, pero el grito del dolor humano es algo más que una oscura primera causa; es en sí mismo la razón suprema, el límite extremo más allá del cual ya no existe nada si no es un sentimiento de desolación y de injusticia extrema.

Son muchos los caminos que conducen al dolor y todos ellos odiosos e injustos. En vano una moral barata nos hable de expiación y de castigo, de ejemplos saludables, de fallas que necesariamente así terminan en lágrimas y angustias; no nos convence. La moral del nervio al aire es infinitamente más comprensiva y grande, nos lleva directamente al perdón y al olvido... Así al menos lo quisieran las naturalezas sensibles, para quienes la angustia ajena es por reflejo y cobardía en parte propia, y que no comprenden esa piadosa manía de justificarlo todo y que pasa junto al dolor sin indignarse.

🦂 La vida humana poco vale. Es la más barata de todas las fuerzas. Se despilfarra en talleres y cuarteles. Corre como agua sucia por las cloacas de todas las ciudades. Estorba en todos los caminos. Un puntillo de honor basta para exponerla al azar de un duelo. Cualquier ideal es más sagrado que ella. En nombre de cualquier principio (el de autoridad por ejemplo) se barren a balazos las calles y los mismos códigos penales con cinismo inconsciente y para mejor honrarla, mantienen la pena de muerte. ¿Es que Malthus tuvo razón? Es triste pensar que en este vasto mundo la inmensa mayoría de nosotros está de más, y que la peste y el hambre y las guerras visten sólo la careta de males.

꙳ No es posible desembarazar totalmente el espíritu de la idea de Dios. Es un prejuicio demasiado antiguo. La multiplicidad de sus aspectos le da fácil cabida en toda tendencia humana. Disimula la ignorancia en su calidad de primera causa, halaga la vanidad en su promesa de una eterna vida, ahuyenta el temor y dignifica al miserable. No hay brecha en nuestro espíritu que no le sirva de nicho. Nunca pasará su nombre de este mundo levantado sobre nuestros errores.

꙳ Cuando se acumulan las fallas y todo un régimen se hunde y hay descrédito y hambre; cuando las fuerzas vitales de un pueblo se paralizan y no hay más que miseria y vergüenza en los corazones; cuando todo gobierno es imposible, éste es el momento propicio para entregar el poder en manos del pueblo. Los profesionales del mando sólo ambicionan las sinecuras. Hay mucho riesgo y ningún provecho en épocas de ruina y de desorden. La historia es siempre la misma, el patrimonio común vuelve al pueblo cuando los bienes se han disipado y es carga improductiva administrar lo que queda. No es de extrañarse entonces si el gobierno popular tan a menudo es desgobierno y la parodia termina en el crimen del despotismo usual que desde hace siglos resguarda los intereses mezquinos de los propietarios.

꙳ El control de la vida individual no es una ciencia, ni siquiera un arte. Los resortes y fuerzas propias del organismo se encargan de conducirnos y lo hacen con el acierto de una larga experiencia hereditaria. Para vivir bien o mal, los libros huelgan con sus reglas y sistemas. Cada individuo forja su propia filosofía a medida que el tiempo y las circunstancias lo impulsan por el solo camino que puede y debe seguir. La vida no condesciende a nuestras vanidades intelectuales, hace caso omiso de ellas al proseguir su trágica aventura hacia la nada. Los comentarios de la conciencia, sus pequeñas fórmulas, pequeñas cobardías y pequeñas iras pasan y se extinguen como el rumor de las hojas muertas que el viento desparrama. Pero fue grato creerse dueño de su propia suerte, planear la ruta, asignando a cada esfuerzo su conquista, levantar ideales, asignar a cada día su tarea y a cada tarea su momento de expansión y de descanso, disponer del amplio patrimonio de juventud que un día fue nuestro.

🜊 Del dolor nace el más respetable de todos los derechos. Desconocerlo es carecer de entrañas, es cometer un crimen de lesa humanidad. Porque engendra dolor es abominable la cárcel y por igual causa casi todo el mecanismo del orden social existente. Todos los demás criterios, el estético, el moral, el utilitario, deben subordinarse al criterio hedónico, último juez de todo cambio, ley o medida.

🜊 De la intolerancia religiosa hemos pasado a la intolerancia social. El Estado ocupa el sitio que en otras épocas correspondiera a la iglesia y como la iglesia tiene sus jerarquías, autoridad, respeto y artículos de fe. Todo el fardo de sumisión y credulidad que fue propio del creyente, caracteriza ahora al patriota. El mismo concepto de patria que dignifica el lugar o región del nacimiento se hace extensivo y dignifica el Estado, creación artificial de carácter político cuyos límites son susceptibles de extensión y achicamiento. Y adrede se introduce la confusión empleando como equivalentes ambos términos. Los mismos medios coercitivos que se emplearon para purgar de herejías el dogma se emplean ahora para mantener la prístina pureza del credo político. La prisión y el destierro son las sanciones menores que guardan la ley sagrada, arca de los privilegios de casta. El triste judaizante de la Edad Media se ha convertido en el ácrata moderno, más repulsivo que el leproso por el delito de creer en su propia idea que superpone su persona a la persona del Estado.[9]

🜊 No es posible acercarse a los dioses sin humillarse. Esto lo sabe el devoto como lo sabe el cortesano y el postulante o no lo sabe o pretende ignorarlo. Algo de la personalidad queda siempre en los estrados, al hincarse la rodilla torciose el carácter. Los grandes de la tierra no conceden gratuitamente sus favores, es forzoso pagarles en moneda de honor. Hay diferencias que sólo se nivelan con bajezas.

---

9   Aquí la hoja está rasgada y es incierta la lectura de esta frase.

Hay algo —afirma el Joven y sus pasiones alborotan el sendero en el afán de la busca. Hay algo —piensa el hombre y con mirada ansiosa escruta las estrellas. Pero el viejo sabe que no hay nada, nada en el camino recorrido que ya toca a su fin, nada, salvo un puñado de barro que se agita rebelde en el barro indiferente de la Vida.

La literatura es capricho del Arte que a su antojo elige dibujo y colorido. La vida es lucha y voluntad de fuerzas encontradas; es por esto que se halla en el libro una armonía que el hombre nos niega. La obra escrita tiende a la belleza, el susurro de sus páginas es musical y claro. La obra sufrida tiende al fracaso y el susurro de sus horas es confuso y discordante.

...rne su persona a la persona del Estado.

No es posible acercarse a los dioses sin humillarse. Esto lo sabe el devoto como lo sabe el cortesano y el postulante ó no lo sabe o pretende ignorarlo. Algo de la personalidad queda siempre en los estrados, al hincarse la rodilla tuércese el carácter. Los grandes de la tierra no conceden gratuitamente sus favores es forzoso pagarles en moneda de honor. Hay diferencias que solo se nivelan con bajezas.

Hay algo — afirma el Joven y sus pasiones alborotan el sendero en el afán de la busca. Hay algo — piensa el hombre y con mirada ansiosa escruta las estrellas. Pero el viejo sabe que no hay nada, nada en el camino recorrido que ya toca a su fin, nada, salvo un puñado de barro que se agita rebelde en el barro indiferente de la Vida.

La literatura es capricho del Arte que a su antojo elije dibujo y colorido. La vida es lucha y voluntad de fuerzas encontradas; es por esto que se halla en el libro una armonía que el hombre nos niega. La obra escrita tiende a la belleza, el susurro de sus páginas es musical y claro. La obra sufrida tiende al fracaso y el susurro de sus horas es confuso y discordante.

Apuntes sobre Jorge Guillermo Borges
Sarah Roger

HIJO DE UNA INGLESA, Frances (Fanny) Haslam, y de un coronel del ejército argentino, Francisco Borges, Jorge Guillermo Borges nació en Paraná, Entre Ríos, el 24 de febrero de 1874. Del lado de su madre, la ascendencia de Jorge Guillermo puede rastrearse hasta Staffordshire, y antes, hasta Northumberland. Su madre se trasladó a la Argentina luego de que su hermana se casara con un ingeniero italiano de origen judío que emigró al país por trabajo. Del lado de su padre, Jorge Guillermo pertenecía a una familia más arraigada en la Argentina: descendía de Jerónimo Luis de Córdoba, fundador de la ciudad que lleva su nombre.

Los padres de Jorge Guillermo se conocieron en 1871, cuando el coronel Francisco Borges se hallaba en Entre Ríos al mando de las tropas con las cuales Sarmiento se proponía sofocar las rebeliones de los gauchos. Se casaron el mismo año. Su primogénito, Francisco, nació en 1872; Jorge Guillermo nació dos años más tarde. En el momento del nacimiento de Jorge Guillermo el coronel Borges comandaba las tropas del fortín de Junín. También había participado en la Batalla de San Carlos en la frontera de la provincia de Buenos Aires en 1872. Según se registra en el *Diccionario Histórico Argentino*, "En 1872 apoyó la rebelión de Bartolomé Mitre pero la presión ejercida por el Presidente Domingo Faustino Sarmiento y su sentido de la lealtad hacia Mitre lo llevaron a tomar una decisión suicida ya que enfrentó corriendo al fuego enemigo en la Batalla de La Verde" (80). El coronel Borges murió a los cuarenta y un años de edad, cuando Jorge Guillermo tenía sólo nueve meses de vida. Viuda, Fanny Haslam tuvo que criar sola a sus dos hijos. Para mantenerse "una vida digna y asegurar el futuro de sus hijos", abrió una pensión que recibió a las maestras estadounidenses que habían llegado a la Argentina para trabajar como parte del plan de Sarmiento para "civilizar" a los "bárbaros" a través de la educación (Hadis 335). Fanny contaba con la ayuda de su hermana Caroline, una maestra inglesa, y de su propio padre (hasta su muerte, ocurrida en 1878). Crió a sus hijos hablándoles en inglés y, como "una inglesa patriota, que vive lejos de su país, debió contarles a los niños cuentos nostálgicos acerca de su infancia en Staffordshire y sobre los orígenes de la familia en Northumberland" (Williamson[10] 25). Por eso, Jorge Guillermo, quien "era mitad criollo y mitad británico, [...] se crió y obtuvo su formación intelectual en un ámbito cultural abrumadoramente inglés" (Hadis 336). A lo largo de los años, Fanny urdió diversas historias acerca de la muerte de su marido, de modo que Jorge Guillermo llegó a creer que su padre había sido un héroe de la guerra, un hombre de gran destreza militar, y un modelo que jamás podría alcanzar.

Además de esta historia de gran heroísmo, Jorge Guillermo creció con una conciencia de la alta tradición intelectual y literaria que había heredado de ambos lados de su familia:

Una tradición literaria recorría la familia de mi padre. Su tío abuelo Juan Crisóstomo Lafinur fue uno de los primeros poetas argentinos, y en 1820 escribió una oda a la muerte de su amigo el general Manuel Belgrano. Uno de sus primos, Álvaro Melián Lafinur, a quien yo conocía desde la infancia, era un destacado "poeta menor" y logró entrar en la Academia Argentina de Letras. El abuelo materno de mi padre, Edward Young Haslam, dirigió uno de los primeros periódicos ingleses en la Argentina, el "Southern Cross", y se había doctorado en Filosofía o en Letras, no estoy seguro, en la Universidad de Heidelberg. Haslam no tenía medios para matricularse en Oxford o Cambridge, de modo que fue a Alemania, donde consiguió su título después de hacer todos sus estudios en latín. (Borges, *Autobiografía* 28)

---

10 Las traducciones de las fuentes citadas del inglés son nuestras.

En un esfuerzo por seguir estas huellas intelectuales, Jorge Guillermo estudió en el Colegio Nacional de Buenos Aires. Mientras su hermano mayor ingresaba en el ejército, Jorge Guillermo optó por una carrera más letrada y se dedicó al derecho. Quizás hayan sido parte de esta decisión sus problemas de visión; la ceguera hereditaria había asolado generaciones anteriores de su familia. Dada la escasa vista que Jorge Guillermo tenía aun desde niño, es posible que la ceguera haya sido un futuro al que se había resignado desde temprana edad.

Jorge Guillermo escribió la tesis de su carrera universitaria en derecho, titulada "Hipoteca naval", y se graduó en 1897. Sin embargo, a pesar de haber elegido él mismo esta profesión, su pasión no estaba en la ley. En la universidad había integrado un grupo de estudiantes que no sólo eran intelectuales sino también anarquistas, entre los que se encontraban el escritor y filósofo Macedonio Fernández, Juan B. Justo, fundador del Partido Socialista de Argentina, el sociólogo José Ingenieros, y el poeta Leopoldo Lugones. Una vez terminados sus estudios, Jorge Guillermo y algunos de sus amigos —Macedonio entre ellos— decidieron fundar una comunidad anarquista en Paraguay. Si bien algunos miembros del grupo llevaron a cabo el proyecto, que pronto se reveló un fracaso, Jorge Guillermo nunca llegó a viajar allí: en cambio, se enamoró de Leonor Acevedo, con quien se casó el 1 de octubre de 1898. Luego de contraer matrimonio, Jorge Guillermo empezó a trabajar en tribunales civiles.

Leonor dio a luz al primer hijo de la pareja, Jorge Luis, el 24 de agosto de 1899; una hija, Norah, nació el 9 de marzo de 1901. La familia se estableció en Palermo, un barrio por entonces apartado y de mala reputación. A pesar de ello, la casa de los Borges en Palermo era un centro de reuniones, ya que Jorge Guillermo congregaba allí a su grupo de amigos. Entre ellos se hallaban sus compañeros de universidad, así como también relaciones más recientes, como las de los poetas Charles de Soussens y Evaristo Carriego.

Todo parece indicar que, a lo largo de los años, Jorge Guillermo se sintió cada vez más desencantado. Además de su trabajo como abogado persistió con sus intereses intelectuales, estudiando literatura y filosofía en su tiempo libre. Empezó a enseñar psicología —en inglés— en la Escuela Normal de Lenguas Vivas en Buenos Aires, donde difundió ideas tomadas de las obras de William James. Era un anarquista (en teoría, aunque quizá no en la práctica) que desaprobaba el conservadurismo creciente de la política argentina. Según recordaba su hijo, Jorge

Guillermo intentaba inocular sus preferencias políticas e intelectuales en sus hijos:

> Mi padre era muy inteligente y como todos los hombres inteligentes muy bondadoso. Una vez me dijo que me fijara bien en los soldados, en los uniformes, en los cuarteles, en las banderas, en las iglesias, en los sacerdotes, y en las carnicerías, ya que todo eso iba a desaparecer y algún día podría contarle a mis hijos que había visto esas cosas. Hasta ahora, desgraciadamente, no se ha cumplido la profecía. Mi padre era un hombre tan modesto que hubiera preferido ser invisible. Aunque se orgullecía de su ascendencia inglesa, solía bromear sobre ella. Nos decía, como, con fingida perplejidad: "¿Qué son, al fin y al cabo, los ingleses? Son unos chacareros alemanes". Sus ídolos eran Shelley, Keats y Swinburne. Como lector tenía dos intereses. En primer lugar, libros sobre metafísica y psicología (Berkeley, Hume, Royce y William James). En segundo lugar, literatura y libros sobre el Oriente (Lane, Burton y Payne). Él me reveló el poder de la poesía: el hecho de que las palabras sean no sólo un medio de comunicación sino símbolos mágicos y música. Cuando ahora recito un poema en inglés, mi madre me dice que lo hago con la voz de mi padre. También me dio, sin que yo fuera consciente, las primeras lecciones de filosofía. Cuando yo era todavía muy joven, con la ayuda de un tablero de ajedrez, me explicó las paradojas de Zenón: Aquiles y la tortuga, el vuelo inmóvil de la flecha, la imposibilidad del movimiento. Más tarde, sin mencionar el nombre de Berkeley, hizo todo lo posible por enseñarme los rudimentos del idealismo. (Borges *Autobiografía* 19–20)

Puede suponerse que Jorge Guillermo tenía razones para sentirse desilusionado. A medida que sus hijos crecían, su matrimonio empezaba a declinar, quizá por el hecho de añorar la pasión juvenil del inicio, una sensación acaso reflejada en el ciclo de sonetos sobre la nostalgia por un amor perdido, titulado "Momentos" (1913). Entretanto, su vista, de por sí mala, no hacía sino empeorar. En reacción frente a todo esto, Jorge Guillermo decidió viajar con la familia a Europa, quizá para unas largas vacaciones o tal vez para radicarse allí. El plan era que la familia se asentara en Ginebra: allí Jorge Guillermo podría recibir el tratamiento de un famoso oftalmólogo y los niños irían a la escuela. Tenía la esperanza de que —una vez que hubiese recuperado la vista— él y Leonor podrían recorrer el continente. Mientras sus padres viajaban, los niños quedarían al cuidado de su abuela materna, que los había acompañado en la travesía.

Los Borges llegaron a la capital suiza a fines de febrero de 1914. Si bien no lo sabían al planear el viaje, el continente se hallaba al borde de la conflicto bélico. Cuando la Primera Guerra Mundial estalló, la familia se encontró varada en Suiza, y el viaje por Europa quedó anulado por completo. En consecuencia, los Borges permanecieron en Ginebra hasta 1919. Este lapso de cinco años no benefició demasiado el estado de Jorge Guillermo. Si bien su hubo cierta mejoría en su vista, no logró recuperarla por completo y tampoco pudo revitalizar su romance con Leonor, quizá porque mientras se hallaba atrapado en Ginebra dio rienda suelta a su gusto por las prostitutas y las amantes.

No fue sino hasta febrero de 1919 cuando la familia Borges finalmente inició sus viajes por el continente, con su partida rumbo a España. El viaje había sido pensado como unas breves vacaciones, luego de las cuales regresarían a Suiza para retomar el tratamiento de Jorge Guillermo y la actividad escolar de los niños; como había ocurrido antes, las cosas resultaron muy distintas. La familia permaneció en Barcelona durante algún tiempo antes de trasladarse a Mallorca, luego a Sevilla, y finalmente a Madrid. En total, pasaron catorce meses en España. Fue durante el tiempo que la familia pasó en Mallorca cuando Jorge Guillermo empezó sus traducciones del *Rubáiyát de Omar Khayyám* y sus primeros borradores de *El caudillo*; fue también allí cuando escribió "El cantar de los cantares", con lo cual este período se reveló como el más productivo de su vida literaria. Al igual que su padre, Jorge Luis prosperó literariamente en España, donde participó en círculos intelectuales y conoció a los miembros del grupo *Ultra*; gracias a su hijo, Jorge Guillermo también participó marginalmente de algunos de esos cenáculos literarios. De hecho, fue por intervención de Jorge Luis que Jorge Guillermo publicó su versión abreviada del *Rubáiyát de Omar Khayyám* y de "El cantar de los cantares" en la revista *Gran Guignol*; ambas obras aparecieron en 1920.

Los Borges regresaron a Ginebra en el verano de 1920. Allí Jorge Guillermo descubrió que no podía ser sometido a una cirugía en los ojos porque había desarrollado una enfermedad cardíaca. Luego de recibir estas noticias deprimentes, la familia se trasladó otra vez a Mallorca, donde permanecieron hasta 1921. Allí Jorge Guillermo completó *El caudillo* y pidió a su hijo que lo ayudara a corregir la novela. La novela se publicó, a expensas de su autor, en Palma de Mallorca en 1921. Poco después, la familia regresó a Buenos Aires.

Originariamente, la intención era que la familia pasara una breve temporada en la capital argentina, con el fin de arreglar sus asuntos para luego regresar definitivamente a España; también, la idea era hacer otro viaje a Ginebra para que Jorge Guillermo intentara un nuevo tratamiento para sus ojos. Sin embargo, luego de llegar a la Argentina en marzo de 1921, la familia extendió su estadía. Fue durante este lapso en Buenos Aires cuando Jorge Guillermo publicitó su novela publicada en Mallorca. Gracias a la ayuda de su hijo, logró algunas reseñas favorables. Roberto Ortelli, amigo de Jorge Luis, escribió una de ellas. La reseña es notoriamente piadosa:

> ¡Qué pureza de lenguaje! ¡Qué dominio del valor de las palabras y de las frases! [...] Tenemos la convicción de que hay en el autor de *El Caudillo*, un poeta, un filósofo y un novelista, los tres dotados de una claridad que es patrimonio de los cerebros que han llegado a una madurez [en] la que se poseen las cualidades espirituales perfectamente definidas. (407)

A pesar de este elogio, es probable que el ambiente literario argentino le deparara a Jorge Guillermo poco más que una tibia recepción. Aparte de una nueva traducción parcial del *Rubáiyát de Omar Kha-yyám*, aparecida en la revista *Proa* en 1924 por iniciativa de su hijo, Jorge Guillermo ya no volvió a publicar ninguna obra literaria.

Los Borges regresaron a Europa una vez más en agosto de 1923. Esta vez llevaron con ellos a Fanny, madre de Jorge Guillermo, y quizá por esta razón iniciaron su viaje en Inglaterra. En septiembre de ese año llegaron a Ginebra, donde Jorge Guillermo no pudo recibir el tratamiento que anhelaba para sus ojos. Volvieron a partir hacia España y poco después a Portugal, antes de regresar definitivamente a la Argentina en julio de 1924. Los planes de Jorge Guillermo para radicar a su familia en Europa habían quedado en la nada.

Poco se sabe acerca de la vida de Jorge Guillermo luego del regreso de la familia a Buenos Aires. Fanny murió el 20 de junio de 1935 y para entonces la salud de su hijo ya se hallaba bastante deteriorada: estaba ciego, su estado general había empeorado debido a sus problemas cardíacos, y dependía por completo de Leonor. Hacia fines de 1937, Jorge Guillermo sufrió un derrame cerebral y quedó paralizado del lado izquierdo del cuerpo. Según Borges, "Después de su hemiplejia, Padre decidió dejarse morir: no comía, no permitía que le dieran remedios, tónicos ni inyecciones" (Bioy Casares 1523). Incapaz de ver y con los movimientos limitados, perdió la voluntad de vivir: "quería morir, según decía, quería morir 'completamente', con lo cual significaba morir en cuerpo y alma, sin perspectiva de una vida en el más allá" (Williamson 230). Este deseo le fue concedido el 24 de febrero de 1938, en su casa, con la ruptura del aneurisma que lo había atormentado durante años. Poco antes de su muerte y al reflexionar acerca de su legado literario, pidió a su hijo que "reescribiera la novela de una manera sencilla, sacando todos los pasajes grandilocuentes y floridos" (*Autobiografía* 52). Con "pasajes grandilocuentes" se refería, presumiblemente, al menos en parte, a las metáforas que Jorge Luis había incorporado cuando su padre le pidió ayuda en Mallorca en 1920.

La escritura de Jorge Guillermo

A lo largo de su carrera de escritor, Jorge Guillermo publicó un ciclo de sonetos titulado "Momentos" (1913), dos versiones de las traducciones al inglés del *Rubáiyát de Omar Khayyám* (1920 y 1924) realizadas por Edward FitzGerald, una reinterpretación modernista del "Cantar de los cantares" (1920), y la novela *El caudillo* (1920). Su obra no publicada incluye su tesis universitaria, "Hipoteca naval" (1897), y el manuscrito filosófico inédito hasta ahora, titulado *La senda* (1917). También escribió algunos textos que no han podido hallarse, quizá porque él mismo los destruyó o porque se extraviaron. Entre ellos se hallaba una colección de cuentos titulada *El jardín de la cúpula de oro* y una obra de teatro llamada *Hacia la nada* que, según Borges, trataba de "un hombre desilusionado por su hijo" (*Autobiografía* 29).

"Momentos"

Publicado en la revista *Nosotros*, "Momentos" es un ciclo de tres sonetos numerados. Están escritos en estilo petrarquista, con una combinación de versos endecasílabos y heptasílabos. La rima no es consistente en los tres poemas, pero cada uno de ellos tiene una rima perfecta. Cada cuarteto y cada terceto terminan con un punto aparte o con un signo de puntuación similar, salvo dos excepciones. El segundo cuarteto del primer soneto emplea un punto y coma, según la afirmación del poeta de que el ritmo de su verso restalla como un látigo, resonando a lo largo de todo el poema. El segundo cuarteto y el primer terceto del tercer soneto están conectados con una coma, fundiéndose en una instancia en que el poeta alude al cambio frecuente. Las elipsis ciñen el primer soneto, aislando la primera y la última palabras del poema y representando el lento pero implacable paso al tiempo al que el poema se refiere. Hay una notable cesura en el primer verso del segundo soneto, que evoca el sentimiento del "y nada espero" antes de subrayarlo con la afirmación de que "Toda Vida es trunca" (15). Esta idea queda reforzada mediante la repetición entre el final del primer poema y el comienzo del segundo.

Por lo general los poemas cuentan una historia. En el primer soneto, el poeta lamenta la pérdida de su amante: la razón de la ausencia de la mujer no es clara, pero el espacio que ella ocupaba anteriormente ha sido colmado por el silencio. En el segundo soneto, el poeta reflexiona acerca del modo en que todo se apaga y aun los recuerdos felices se pierden a la larga. La mutabilidad de la memoria lleva al poeta a preguntarse si en verdad sintió algo por su amante ahora ausente. En el tercer soneto, el poeta concluye que el tiempo borrará todo y que la vida termina en la muerte; el verso heptasilábico remarca esta resignación: "Así la vida entiendo" (39). Al final del último poema, el poeta se despide para siempre de su amante mientras extiende su mano al separarse.

Esta sensación de pérdida aparece en el lenguaje mismo del poema, que contrasta con las descripciones en tiempo pasado de la antigua amante con descripciones en presente de las acciones del poeta. El poeta dice a su amada: "Enmudeciste", y recuerda "el beso que no halló tus labios", verbos en pretérito perfecto simple que subrayan el pasado irrecuperable (1, 41). Estas acciones contrastan con las elucubraciones actuales del poeta acerca de la naturaleza del tiempo y del recuerdo: "Toda Vida es trunca./ Las horas dan, lo que las horas quitan" (15–16). A diferencia de la amada del poeta, las cualidades esenciales del tiempo no cambiarán jamás. Esta atención al tiempo queda reforzada por el vocabulario. Sólo en el primer soneto hay once palabras relacionadas con el tiempo: luego, olvido, olvidar, nunca, nunca, ritmo, cesa, vida, corriente, pasado y espera. La fuente incesante y la corriente representan el paso imparable del tiempo, y en el tercer soneto el poeta afirma:

Y si todo es mudanza y no es posible
las Horas modelar en bronce eterno,
y al empuje del Tiempo irresistible
la Primavera pasa y el Invierno (33–37)

Aun el bronce inmutable a la larga perecerá. William Shakespeare utiliza la misma imagen en el soneto LXV, donde dice:

Since brass, nor stone, nor earth, nor boundless sea,
But sad mortality o'er-sways their power,

How with this rage shall beauty hold a plea,
Whose action is no stronger than a flower? (1–4)

Jorge Guillermo no permite que el paso del tiempo traiga la renovación. La primavera se transforma en invierno, pero la primavera no regresará otra vez. Más que un ciclo de renacimiento estacional, sólo encuentra muerte. Para conjurar la presencia de su antigua amante, el poeta recurre a imágenes modernistas de fuentes incesantes, jardines, flores, las estaciones del año y la luz de la luna, pero sus afanes no resultan suficientes. Hasta la imaginería natural le recuerda la ausencia de su amada: "la noche [...] no tuvo azahares" (40); las flores de azahar, tradicionalmente asociadas con las novias, están ausentes al igual que su amada. Su reacción ante esta pérdida es escribir poesía. La antigua amante ha callado, pero él no, y llena con un gesto desafiante el vacío dejado por el "hosco silencio" de ella con sus propios versos: "Yo, no puedo olvidar, ni callar puedo [...] / porque el Dolor es lengua que no calla / nunca, nunca" (2, 5–7). En su lucha, invoca elementos eternos y arquetípicos como el Amor, el Dolor, la Vida, el Alma de las Cosas, las Horas y el Tiempo (4, 6, 15, 30, 34, 35). Estas cualidades esenciales están fuera del tiempo y, por ende, son resistentes al cambio. Aunque "todo es mudanza", el amor y el sufrimiento son permanentes y al capturar estas emociones en sus obras, el poeta trata de ubicar sus poemas más allá de los límites del tiempo. De este modo, la voz poética se transforma en el antídoto contra el dolor de un amante abandonado, aun cuando el dolor del amor perdido sea la fuente de los sonetos. El poeta dice: "Por eso sobre el ledo / ritmo del verso mi dolor restalla," (7–8), transformando así su sufrimiento en arte.

"El cantar de los cantares"

"El cantar de los cantares" de Jorge Guillermo se publicó en España en *Gran Guignol*, una revista en la que colaboraba su hijo. El poema tiene 84 versos, divididos en 11 secciones, cada una de las cuales contiene desde 1 hasta 12 versos. La mayor parte de los versos son endecasílabos, aunque los dos tercetos de la quinta sección están compuestos por dos heptasílabos seguidos por un endecasílabo. Muchas de las secciones individuales tienen rima, pero no hay un patrón consistente a lo largo de todo el poema ni tampoco parece haber ningún encadenamiento rimado intencional entre una sección y la siguiente. Esto se corresponde con el Cantar de los cantares bíblico, donde "no hay equivalencias métricas" y la rima está basada en esquemas informales de aliteración y en la repetición de consonantes (Landy 307). La sintaxis es lineal, cada estrofa termina con un signo de puntuación, y no hay puntos dentro de ninguno de los versos. La única excepción se encuentra en el verso 82, que tiene un signo de exclamación que separa dos hemistiquios: "¡Oh torre de marfil! ¡Oh llama de oro/ que en esplendor de luz anuncia el día!"

La inspiración para el poema es evidente desde el título: se trata de una glosa del Cantar de los cantares, que condensa las 2500 palabras del original (tanto en inglés como en español; es probable que Jorge Guillermo leyera ambas) en 550. Esta práctica de reescritura es parte de la historia textual de la Biblia que en sí misma fue compilada de obras preexistentes (Stern 3). Otros textos de Jorge Guillermo también exhiben una inclinación hacia la reescritura, y sus dos versiones del *Rubáiyát de Omar Khayyám* bordean la línea que separa la reescritura de la traducción. Esta técnica era frecuente entre los poetas modernistas, que exhiben "falta de interés en la originalidad por la originalidad misma" y adoptan la idea de obtener un nuevo texto a partir de uno viejo (González 10). Si bien "El cantar de los cantares" no es una traducción, sigue la misma narración que el original, celebrando el amor entre dos individuos. Ocasionalmente describe la sensación de sufrimiento que ambos sienten cuando están separados, pero sólo como un contrapunto de su alegría al estar juntos. Jorge Guillermo se concentra en el comentario del amante masculino acerca de su querida, omitiendo las descripciones dadas por la mujer en el texto bíblico. En compensación, coloca en boca del varón algunos de los temas que suelen atribuirse a la hablante femenina: en particular, usa elementos de la escena del sueño de la mujer para demostrar la sensación de pérdida del poeta ante la ausencia de su amante (capítulo tercero del original, sección séptima del poema de Jorge Guillermo). A lo largo de todo "El cantar de los cantares", Jorge Guillermo se sirve libremente de otras versiones del texto bíblico:

Mis cabellos de las gotas de la noche (León 5.3)
Tu cabello es la noche (Borges 18)

a sachet of myrrh, / that lies between my breasts ("Song" 1.13)
Vierte los pomos llenos / de myrrah entre sus senos (Borges 29–30)

Como montón de trigo cercado de violetas (León 7.2)

el huerto florecido y los trigales (Borges 34)

The king is held captive in [your hair's] tresses ("Song" 7.4)

la negra noche se enredó en sus trenzas (Borges 44)

Como torre de marfil (León 7.4)

¡Oh torre de marfil! (Borges 82)

Las apropiaciones de Jorge Guillermo son selectivas: se concentra en la imaginería natural —sobre todo en las referencias a los animales, los frutos, las flores y los paisajes— antes que en los hitos geográficos. Hace referencia a Jerusalén y a Sulém, pero en cuanto al resto omite los topónimos, quizá para hacer que el poema resulte más familiar para sus contemporáneos. Entre las imágenes de la naturaleza, destaca especialmente los huertos y las cosechas: "El gajo roto al peso de la fruta" (60) y "¿Qué verde falta, qué región dorada / de trigo y pleno sol [?]" (68–69). La rama cargada de manzanas es una imagen que representa al mismo tiempo la riqueza de la tierra y el Jardín del Edén (una asociación que Jorge Guillermo invoca en los versos 6 y 53), mientras que el trigo simboliza la fertilidad de la tierra y de la amada. Esta fecundidad queda también expresada por el uso de la repetición, que multiplica las imágenes y otorga una sensación de plenitud al poema: en un mismo verso se repiten sonidos y palabras —"Bésame con el beso de tu boca" (12)— y de un verso a otro —"Sobre tus hombros perfumado manto, / sobre tus hombros y desnudos senos" (19–20).

Fiel a la tradición del poema bíblico, y en líneas generales de la poesía arábica y egipcia, Jorge Guillermo utiliza elementos de la naturaleza para describir aspectos de su amada. Este procedimiento se conoce con el nombre de *wasf*, donde "cada parte del cuerpo se compara con un objeto distinto con el que comparte algún rasgo en particular" ("Commentary" 4.1–16):

Tus ojos son cisternas donde el cielo
de la noche estival copia sus Astros [...]
Tu boca es una cinta de escarlata,
ascua de un fuego que encendió en amor (Borges 14–15, 22–23)

Tus dientes como rebaño de ovejas trasquiladas que salen de bañarse,
todas ellas con sus crías, [que] no hay machorra entre ellas.

Como un hilo de carmesí tus labios, y el tu hablar pulido; como cacho de granada tus sienes entre tus guedejas. (León 4.2–4.3)

La deuda de Jorge Guillermo con el original es aquí evidente, al igual que sus diferencias. Las otras versiones emplean imaginería de la naturaleza que se refiere a la fertilidad del amante sin ser erótica — tales como los dientes similares a ovejas recién esquiladas— mientras que Jorge Guillermo prefiere imágenes explícitamente sexuales. A diferencia del original, su texto sólo puede leerse como un poema de amor. Interpretaciones bíblicas enfrentadas ven el Cantar de los cantares como un poema de amor, como un poema sobre Dios o Jesús, como alabanza a la tierra de Israel y como una descripción del tabernáculo.

"El cantar de los cantares" de Jorge Guillermo toma el sexo como su interés principal, reduciendo el poema bíblico a una selección de encuentros entre el poeta y su amada. En este sentido, este poema sirve como contrapunto de "Momentos", que se refiere a una amante ausente y a un idilio que ha terminado. Puede que la amante desaparezca por momentos en "El cantar de los cantares", pero el deseo del poeta queda recompensado hacia el final, cuando declara crípticamente:

¡Oh torre de marfil! ¡Oh llama de oro
que en esplendor de luz anuncia el día!
¡Oh lámpara de plata de mi noche! (82–84)

Los signos de exclamación y la repetición de la palabra "Oh" sugieren que los amantes se funden en una unión orgásmica o bien que el poeta imagina el momento en que estuvieron o estarán en ese estado. Sin embargo, esto no significa que el poema trate estrictamente de sexo. La alegría de la unión de los amantes se agudiza con la pena que el poeta siente cuando ambos están separados. El sufrimiento que es parte integral del enamoramiento se declara sin ambages en la segunda sección, "Este es el pesar de los pesares" (9). Puede que el corazón del poeta esté "enfermo y triste" (67), pero la posibilidad de reunirse con su amada atenúa su dolor. Esto contrasta con "Momentos", donde la ausencia de la amante produce sufrimiento y advierte al poeta acerca del sinsentido de la creación. En "El cantar de los cantares", la fertilidad de la amante invita a la creación y su presencia impulsa a escribir al poeta.

Entre los contemporáneos modernistas de Jorge Guillermo, existe la opinión de que escribir acerca de sexo puede significar, en cierto sentido, escribir acerca de la escritura misma:

El ideal femenino al cual el poeta debe unirse para alcanzar la visión perfecta largamente buscada está a menudo vinculada con el lenguaje poético y con el producto de su unión descripta en términos sensuales y seductores. La creación, ya sea poética, personal o cósmica, se concibe como sexual. (Jrade 21)

"El cantar de los cantares" se ajusta a esta descripción. Combina las meditaciones del poeta acerca de su amada con su deseo de declarar en verso sus sentimientos hacia ella. Del "aliento" (13) de la amada nace "la canción nupcial" y cuando él le alza el vestido, se inspira para cantar (26-28). Cuando ella desaparece, sólo queda el silencio, pero cuando está presente revive la canción "del perdido Edén" (48–49, 53). Su presencia también tiene el mismo efecto en otros. Impulsa a la gente a crear música hermosa: hay "¡timbales que el amor bate en sus cantos!" y cuando ella se aproxima, "[e]l jardín y los patios señoriales [...] la guardia bate el atambor" (21, 32–33). Ella es "el ala que sostiene el canto / en las heridas cuerdas de laúd", revitalizando la voz de un poeta mudo (78–79). "El cantar de los cantares" expresa la dicha del sexo y del amor a través del canto, sugiriendo que la unión de dos amantes es también la fuente de la poesía. Esto lo distingue de "Momentos", donde la escritura es el fruto del sufrimiento del poeta. Desde el punto de vista biográfico, puede pensarse hay indicios que explican esta diferencia, ya que Jorge Guillermo escribió "El cantar de los cantares" mientras la familia se hallaba de viaje en Mallorca, un período cuando "redescubrió con su esposa Leonor esa pasión que buscaba al marcharse de Buenos Aires en 1914" (Williamson 69). Por el contrario, cuando Jorge Guillermo publicó "Momentos", luchaba con su escritura, con su vista claudicante, y con la ausencia de pasión en su vida personal.

"Rubáyiát"
Uno de los temas literarios más productivos de Jorge Luis contiene el cuestionamiento de la idea de reescritura y considera las repercusiones de textos múltiples y similares; estas cuestiones también aparecen en la versión en español de Jorge Guillermo de la traducción al inglés de FitzGerald de los poemas persas del *Rubáiyát de Omar Khayyám*,

del siglo XI. La decisión de traducir un texto persa está en consonancia con el interés que los modernistas tenían en Medio Oriente y en los temas orientales, así como también su inclinación hacia la reescritura. Los modernistas "presuponen que la mayor parte del conocimiento humano, si no todo, ha sido codificado y concentrado en un solo lugar: en otras palabras, la escritura modernista presupone la existencia de una Biblioteca" (González 10), de la cual los autores pueden servirse para generar sus propias obras. Esto es precisamente lo que hace Jorge Guillermo, extrayendo sus propios poemas del Cantar de los cantares y de la traducción de FitzGerald.

Hay dos versiones de la traducción del *Rubáiyát de Omar Khayyám* realizadas por Jorge Guillermo, una de 1920 y la otra de 1924–1925.[11] Ambas están compuestas por estrofas de la traducción de FitzGerald del persa al inglés que a su vez fueron traducidas al español por Jorge Guillermo. Ni FitzGerald ni Jorge Guillermo mantienen el orden original de las estrofas. Al traducir del persa, FitzGerald desplaza las palabras de Khayyám y divide las estrofas, para luego recomponerlas según sus propios intereses estéticos y temáticos (Karlin xxxviii). Jorge Guillermo hace una selección de los 114 cuartetos de Fitzgerald y los reordena para formar sus propios poemas. En su primera traducción, Jorge Guillermo utiliza 8 cuartetos, mientras que en la segunda usa 63. En ambas combina los cuartetos de un modo que reinterpreta el *Rubáiyát de Omar Khayyám* y transforma los versos de FitzGerald y de Khayyám en su propio poema.

Algunas de las estrofas de Jorge Guillermo son buenas aproximaciones a las del FitzGerald, por ejemplo el cuarteto 48 en inglés y la versión en español, que preserva tanto la imagen como el sentido:

For in and out, above, about, below,
'Tis nothing but a Magic Shadow-show,
Play'd in a Box whose Candle is the Sun,
Round which we Phantom Figures come and go.
(FitzGerald XLVI)

El Mundo es sólo el cuadro iluminado
que arroja la Linterna del Juglar
cuya vela es el Sol, y nuestras Vidas,

---

11   La segunda aparece en dos números sucesivos de *Proa*. En nuestra versión juntamos las dos partes.

Sombras que vienen, Sombras que se van.

(Borges, "Omar Jaiyám" I)

La versión de Jorge Guillermo es más pedestre que la de FitzGerald: el mundo al que alude el inglés en su primer verso es definido por el argentino como lo que realmente es. En cuanto al resto, la traducción de Jorge Guillermo es fiel y aun poética. No todas las palabras traducidas al español son tan precisas y algunas no están siquiera presentes en el original. Por ejemplo, no hay en la versión de FitzGerald ningún equivalente para el breve cuarteto final de la traducción de Jorge Guillermo:

> ¡Oh dicha de mi amor! yo estaré quieto,
> tendido en tierra de una larga Paz,
> durmiendo el sueño que no tiene sueños,
> ni aurora, ni inquietud, ni despertar.
>
> (Borges, "Omar Jaiyám" VIII)

Jorge Guillermo inventa este último cuarteto para facilitar su narración, rematando su poema con el adiós del poeta antes de que se suma en el sueño final sin su amante, un final similar al que cierra "Momentos". En general, Jorge Guillermo elige cuartetos que contienen un subconjunto de los temas y las imágenes de FitzGerald y, por ende, crea un texto con una visión más estrecha y un mayor sentido de unidad. Su versión condensada del *Rubáiyát de Omar Khayyám* en "Del poema de Omar Jayyám" subraya a un amante que apenas figura en la versión de FitzGerald y concluye con la imposibilidad de la plenitud romántica, un tema destacado por Jorge Guillermo pero ausente en la secuencia de FitzGerald, que enfatiza la idea de vivir en el momento.

El caudillo

Además de su segunda traducción del *Rubáiyát de Omar Khayyám* de FitzGerald (publicada en 1924 pero tal vez escrita al mismo tiempo que la versión condensada de 1920), la última publicación conocida de Jorge Guillermo es su novela *El caudillo*, de 1921. El argumento central de la novela trata del caudillo don Andrés Tavares, quien debe elegir entre apoyar a los unitarios de Domingo Faustino Sarmiento y los federales de Ricardo López Jordán; el relato es una versión del conflicto entre civilización y barbarie presente en la representación de la Argentina decimonónica. La decisión de Tavares tiene la influencia de un inmigrante italiano conocido como el Gringo, quien lo convence de construir un puente sobre el río que separa su estancia de otra vecina. El Gringo aboga por una Argentina modernizada "con sus casas y sus calles, sus plazas y jardines, la ciudad que debió partir al encuentro del futuro" (118)[12] frente a un país parcelado en bastiones de estancias privadas, tales como las que existían en los tiempos de Tavares. Tentado por la visión de futuro que le propone el Gringo, Tavares se reúne con el gobernador unitario y le pide ayuda para derrotar a los federales. Sin embargo, cambia de opinión cuando el puente que ha construido siguiendo el consejo del inmigrante propicia un romance entre su hija, Marisabel, y el hijo de su vecino; así el bienestar de la familia tiene prioridad sobre el proyecto político nacional. Entretanto, un temporal inunda el río y derriba el puente que se desploma como si fuera una "ciudad de naipes" (118), arrastrando con sus restos su imagen de la civilización. El Gringo se ahoga en la inundación (tal vez se trate de un suicidio, aunque nunca se aclara) y el antiguo orden queda restaurado. La modernización emprendida es derrotada por la barbarie innata de la pampa.

El argumento secundario de *El caudillo* involucra al hijo del estanciero vecino, Carlos Dubois, quien mantiene un romance con Marisabel, para disgusto de Tavares. Dubois es un porteño que ha abandonado sus estudios de derecho mientras cortejaba a Lina, una muchacha socialmente inadecuada para él. Como castigo, su padre lo envía a la estancia con la esperanza de que las duras tareas rurales y el alejamiento de Lina encarrilen al joven. Sin embargo, Dubois se refugia en sus libros de filosofía —en particular aquellos que tratan del eterno retorno, una de las ideas filosóficas favoritas de Jorge Guillermo— lo que le haga una reputación de perezoso y débil entre los entrerrianos. Marisabel es la única persona de la pampa que admira sus relatos sobre París y sus especulaciones filosóficas, si bien no ciegamente; el padre de la muchacha, por el contrario, comparte la opinión negativa que el padre de Dubois tiene sobre su hijo. Tavares instiga a su vecino para que anime al chico a regresar a la ciudad y cuando descubre el romance manda a matar a Dubois. Aunque Dubois busca la libertad a través del amor dos veces, las figuras paternas se interponen. La primera porque debe acatar la orden paterna de su padre biológico que interrumpe su relación con Lina; la segunda

---

12   En lo que sigue se cita la edición de *El caudillo* que publicó la Academia Argentina de Letras.

porque Tavares, actuando como un padre sustituto al tomarlo bajo su protección y al enseñarle a administrar su estancia, lo asesina para terminar su romance con Marisabel. La "perturbación del padre fuerte frente al hijo frágil" (Pagés Larraya 4) de Tavares culmina en la muerte de Dubois.

En *El caudillo*, no sólo el amor niega a Dubois el refugio que busca para huir de su padre, sino también su creencia en el eterno retorno le niega la independencia que anhela:

—Lo que sería curioso, observó Dubois, siguiendo el hilo de sus propios pensamientos, es saber si alguna vez hemos recorrido juntos este mismo camino, hemos pensado lo que hoy pensamos y dicho las mismas palabras. [...]

—Escuchen, insistió Dubois, si los elementos que forman el mundo son los mismos y son contados, el azar, el Dios o los dioses que los manejan, a la larga tendrían que combinarlos de la misma manera. [...] Quizás nos encontraremos en el sendero infinito del tiempo y de aquí muchos millones de años yo como ahora discuta con ustedes. (89, 90)

La filosofía de Dubois tiene su contrapunto en la creencia mística de Marisabel en la posibilidad de que el universo —y cada uno de sus habitantes— es único. En una conversación con Dubois en la fiesta de inauguración del puente, expone sus ideas como un argumento contra el eterno retorno. Según Marisabel, las cosas que la rodean son elementos nuevos en un universo que no se repite:

—Eso es un absurdo, dijo Marisabel. ¿Cómo se le ocurre semejante cosa? Esta es la primera vez que se inaugura el puente y el vestido que llevo es nuevo, ¿le gusta? [...]

—Me gusta, es muy bonito y le sienta a maravilla, pero también me gusta mi teoría que no es mía, pues ya se le ha ocurrido a muchas personas serias que la pensaron bien.

—Hay muchos locos, yo no le veo pies ni cabeza. [...] Eso es tan absurdo, insistió Marisabel, que no lo creo. (89, 90)

El narrador califica la idea de Marisabel como "una falla mística", pero no es necesariamente así: su creencia abre la posibilidad de un sentido de plenitud al que Dubois no tiene acceso (59).

Aunque inicialmente se muestra escéptico ante las ideas de Marisabel, Dubois tiene una experiencia espiritual cuando ambos se unen en el acto sexual al final de la novela:

> Lina, Marisabel y las mujeres que en otro tiempo deseara o poseyera nada significaban, habían cesado de existir. Qué tonto fue fijando la atención en el color de los ojos, en el tono de los cabellos, en las letras de los nombres, en raza, idioma o ademanes. Hallóse transformado, estaba libre, perfectamente libre de toda orientación determinada, de toda vana disputa, era sólo el hombre invadido y arrollado por la pasión única de la hombría. Lina, Marisabel y todas cuantas deseara o poseyera, nada le importaban, había cesado de amarlas o quizás las amaba a todas. Su cuerpo sólo existía tenso en la busca de la mujer que se esconde detrás de todas las mujeres cuando la careta multiforme desaparece. (148)

En este momento, Lina y Marisabel se funden para proporcionar a Dubois un sentido platónico de unicidad, una experiencia que entra en conflicto con la idea de Marisabel de que todo es uno, pero que también choca contra la creencia de Dubois de que todo se repetirá algún día. En la unión de ambos, Dubois descubre la existencia de una unidad esencial, arquetípica, que amalgama todas las cosas del universo en un todo espiritual. En lugar de la repetición o de la individualidad, descubre que un espíritu común yace debajo de sus identidades individuales (Williamson 30).

Esta visión del cosmos permite a Dubois liberarse de las absurdas repeticiones del eterno retorno:

Todo su ser sacudido por el salmo de su deseo y la ternura de Marisabel que parecía decir: Soy tuya. En mi rostro la primavera de las rosas es eterna, el sol de mis ojos no se abate nunca. He escuchado de los labios del mundo el cantar de amores y lo he amasado en besos para que tú lo comprendas mejor. Las manzanas de mis pechos maduran en el huerto del Paraíso, soy la seda de los nidos, la sombra adormecida bajo el bochorno solar. Si buscas la belleza, yo soy la perfección del espejismo que persigues. Una sola curva de mi cuerpo, vaso sagrado, arca de los destinos de la raza, refuta el saber de tu vetusta filosofía y es la estética misma de las academias, soy creación de lo infinito y de lo eterno, abandóname y habrás repudiado tu herencia, y el polvo de los áridos caminos te verá pasar, vagamundo, sin hogar. (147)

Este pasaje retoma un tema literario que Jorge Guillermo utiliza en otros de sus escritos: la posibilidad de alcanzar la plenitud personal y espiritual a través del sexo. En "Momentos", el poeta se desespera porque ha perdido su amor y la naturaleza mutable del universo implica que nunca volverá a tener esa relación alguna vez venerada. En "El cantar de los cantares", el poeta celebra la unión con su amante; en el poema bíblico original, esta celebración representa una unión poética entre el arte y el artista, y también una unión entre el hombre y Dios (Landy 306; Stern párrafo 6). Sin embargo, a pesar de esta revelación, la experiencia de plenitud espiritual de Dubois en *El caudillo* es temporaria. Una vez que Dubois y Marisabel hicieron el amor, él escribe una carta a Tavares en la cual le pide la mano de su hija, porque se siente obligado a hacerlo. Admite que a través de su relación con Marisabel ha traicionado las esperanzas que Tavares había depositado en él. Asimismo, traicionó la esperanza que su padre tenía de que cambiase durante su temporada en la estancia, así como ha traicionado su compromiso con Lina. Todo esto es lo que Dubois intenta enmendar al proponerle matrimonio a Marisabel, pero la carta nunca llega a manos de su destinatario. Tavares ordena el asesinato de Dubois, con lo cual reinstaura la autoridad patriarcal y acaba con el sentido de unicidad que Dubois y Marisabel comparten.

Traducción de María Julia Rossi

Poesía de Jorge Guillermo Borges

MOMENTOS¹³

I

Enmudeciste . . . y luego,
con el hosco silencio fue el olvido
nevando sobre el ruego
del Amor en tu pecho entumecido.
Yo, no puedo olvidar, ni callar puedo
porque el Dolor es lengua que no calla
nunca, nunca. Por eso sobre el ledo
ritmo del verso mi dolor restalla;
manando de una fuente que no cesa
de glosar monocorde la tristeza
del humano vivir; ¡falaz quimera!
Y mi vida espejada en la corriente,
se contempla a sí misma en el doliente
espejo del pasado . . . y nada espera!

II

Y nada espero. Toda Vida es trunca.
Las horas dan, lo que las horas quitan.
Nunca vuelve el pasado, ¿sabes? ¡nunca!
ni las dichas pasadas resucitan.
En el recuerdo inmoble ¡ay! apenas
dibujan sus siluetas ilusorias,
las dichas y las penas,
dichas y penas que no tienen glorias.
La noche azul, aquel jardín callado,
los jazmines más blancos que la luna.
¿Dime, no vierten claridad alguna?
¿Son de horas muertas que no tienen dueño?
Nunca torna el pasado.
Dime ¿te quise?, ¿fue verdad o sueño?

13   *Nosotros* 7.18 (1913): 147–48.

III

Sueño o verdad, al fin, es vana empresa
penetrar en el Alma de las Cosas.
El fatigante aliento de las rosas
perfuma, lo demás no me interesa!
Y si todo es mudanza y no es posible
las Horas modelar en bronce eterno,
y al empuje del Tiempo irresistible
la Primavera pasa y el Invierno,
protéico yo también a otros lugares,
es fuerza que me aleje sin agravios.
—Así la vida entiendo—
y por la noche que no tuvo azahares
y por el beso que no halló tus labios,
he aquí mi mano. ¿Ves? ¡yo te la tiendo!

I

Este es el cantar de los cantares
que fue del Rey de Reyes Salomón,
amor es cuna de diez mil pesares.
Acuerde Dios al Rey gloria y favor.

Este es el cantar de los cantares,
y todo hombre nacido de mujer,
cuando gusta la fruta en los Pomares
Bendice la memoria del Gran Rey.

II

Este es el pesar de los pesares.

III

Agua que baña la caldeada roca;
vino de olvido, voluptuosa Paz.
Bésame con el beso de tu boca.
¡Arda en tu aliento la canción nupcial!

IV

Tus ojos son cisternas donde el cielo
de la noche estival copia sus astros,
¡tus ojos que en la hora de los besos
se ocultan en sus celdas de alabastro!

Tu cabello es la noche que distiende
sobre tus hombros perfumado manto,
sobre tus hombros y desnudos senos
¡timbales que el amor bate en sus cantos!

---

14   *Gran Guignol* 1.2 (1920): 5–7.

Tu boca es una cinta de escarlata,
ascua de un fuego que encendió el amor,
¡para aclamar el triunfo de las horas
en las siestas henchidas de pasion!

V

Canta, poeta, canta,
la túnica levanta
que cubre de tu amor la desnudez.

Vierte los pomos llenos
de myrra entre sus senos
¡y en su abrazo perfúmate después!

VI

El jardín y los patios señoriales
donde la guardia bate el atambor,
el huerto florecido y los trigales
 que el oro rinden de la espiga al sol.

El lecho de la alcoba perfumada
donde el amor su lámpara cuidó,
recuerdan las ternuras de la amada,
sus tesoros, la alondra de su voz.
Las mantas de mi lecho la recuerdan
¡de su cuerpo conservan el calor!

VII

Morena es mi adorada cual la noche
que sus morenas carnes amasó,
la negra noche se enredó en sus trenzas
y en sus ojos profundos se durmió.

La negra noche de desnudos brazos,
la loca noche de desnudos pies,
que cual la amada llega silenciosa
y silenciosa aléjase después.

Morena es mi adorada cual la sombra
que amor escoje para amarse bien,

como el oculto nido en que sus besos
¡el canto cantan del perdido Edén!

VIII

Tu nombre es el zumbido de las alas
en torno a la colmena rica en miel,
es el claro llamar de las campanas
en torres de la astral Jerusalén!

Es el áureo contento de la huerta
dormida al sol en otoñal quietud,
el gajo roto al peso de la fruta,
¡tu nombre es el perfume y es la luz!

IX

O Sulamita, lirio de los lirios,
jardín de las doncellas de Sulém,
¿qué estrella en ascuas te indicó el camino
a este mi reino de Jerusalén,
donde la gloria de tus ojos tienen
enfermo y triste el corazón del rey?

¿Qué verde falda, qué región dorada
de trigo y pleno sol te vio nacer,
en qué cielo enjoyado te miraste,
dónde hallaron tus labios leche y miel?
¡Que por la dicha de tu rostro late
enfermo y triste el corazón del rey!

X

¡Deja que el sol te bese en la esplendente
copa del amplio día; bebe luz!
te cele el viejo bosque y la silente
noche tiemble de amor y de inquietud.

Tú eres el ala que sostiene el canto
en las heridas cuerdas del laúd,
del vagabundo viento eres el llanto,
del amplio cielo la mirada azul.

XI

¡Oh torre de marfil! ¡Oh llama de oro
que en esplendor de luz anuncia el día!
¡Oh lámpara de plata de mi noche!

Del poema de Omar Jaiyám[15]

Omar Jaiyám nació a fines del undécimo siglo, en la ciudad de Naisha-pur. Dedicóse a las matemáticas, especializándose en la astronomía. Fue también un alegre camarada. Al morir, sus amigos reunieron sus coplas, a la manera persa, no según su carácter, sino según la letra inicial de cada una. Setecientos años después Fitzgerald cinceló esa admirable versión inglesa de las coplas que consagrara en Occidente la perenne fama de Omar. Éste y Fitzgerald se complementan y armo-nizan. El persa dio tal vez la visión enjoyada del Oriente, la obsesión fatalista, el fondo de amargura y el otro su exquisito genio poético, un instrumento ya perfecto cuando Shakespear escribiera sus dramas, la arquitectura del poema, la pulsación sonora de la línea excelsa.

La actitud filosófica de Omar es muy sencilla. El presente encié-rralo todo, es la sombra del pasado y va en fuga hacia la nada. Hay que abrazar en el presente el breve placer de las horas.

Este hedonismo es indudablemente antiguo como la civilización. Desde los griegos de la escuela cirenáica hasta Stirner, mil pensadores lo profesan y es diariamente practicado por todos nosotros a pesar de los frenos de ascetismo religioso y moral. Como se ve, la filosofía de Omar es lisa y plana y por eso mismo nos atrae; por eso mismo que no se eleva a inmensidades azules, que no promete felicidades lejanas sino que siempre es egoísta y fácil, inmediata y sincera.

I

El Mundo es sólo el cuadro iluminado
que arroja la Linterna del Juglar
cuya vela es el Sol, y nuestras Vidas,
Sombras que vienen, Sombras que se van.

II

Y si el Vino que bebes y la loca
Caricia de la Amada morirán,
como todo en la vida pasa y muere,
que más ni menos te pondrán quitar?

---

15   *Gran Guignol* 1.1 (1920): 8.

III

Bebe conmigo el fruta de la viña
mientras arda la Rosa en el Rosal
y cuando el Angel de la Muerte tienda
A ti su Copa, riente beberás.

IV

El Mundo es un tablero cuyos cuadros
son Noches y son Días, y el Azar
a su antojo nos mueve como a Piezas,
Luego las piezas a la Caja van.

V

¡Oh Dios! que el tiempo pase, que las Rosas
una a una abandonen el Rosal,
que el blanco Velo de la Infancia ceda
al Triste Luto de la triste Edad.

VI

Oh dicha de mi amor siempre constante;
la Luna asoma en el Palmar su faz;
Vendrá la noche en que esa misma Luna
ha de buscarme y no me encontrará.

VII

Y cuando tú, como la Luna, vuelvas
con pies de plata y no me encuentres ya,
derrama el Vaso que jamás mi boca
en Noche alguna volverá a gustar.

VIII

¡Oh dicha de mi amor! yo estaré quieto,
tendido en tierra de una larga Paz,
durmiendo el sueño que no tiene sueños,
ni aurora, ni inquietud, ni despertar.

RUBÁIYÁT[16]

Ya levantan sus tiendas las estrellas
del agredido campo nocturnal.
Con Flechas de Oro el Cazador de Oriente
acribilla la Torre del Sultán.

Suena el Clarín del Gallo, en la Taberna
dice una voz:—¡Hermanos, despertad!
¡Si se seca la Copa de Vida
ya nunca más se volverá a llenar!

Y aquellos que esperaban
de la Taberna fuera en el Portal
¡Breve es el Plazo, gritan, si partimos
ya no podremos retornar jamás!

Con el Año que empieza, verdemente
el prado torna a su florida Edad,
de sus tibias cenizas los Deseos
a repetir las Súplicas vendrán.

El Iram y sus Rosas se perdieron
en la blanca extensión del Arenal,
pero aún la Vid nos brinda sus Rubíes
y junto al Agua hay un Vergel de Paz.

David rezando calla, mas la Flauta
del Ruiseñor alegre en su cantar
dice a la Rosa: Vino, rojo Vino
tu pálida Mejilla encenderá.

¡Llenad la Copa, en el ardiente Estío
quemad el Manto de invernal Pesar!
El Tiempo es Ave que fugaz se aleja
¡Ya el Ave alerta sobre el ala está!

---

16   *Proa* 1.5 (1924): 55–57.

Rosas a miles nacen cada Día
y a miles mueren cuando el Sol se va
El mismo Mes que nos regala Rosas
arrebata a Jamshyd y a Kaikobad.

Ven con el viejo Omar y no lamentes
porque Jamshyd se fuera y Kaikobád
deja que llame Rustrum a las armas
¡o grite Jatim vamos a yantar!

Sobre el verde Tapete que separa
el campo en Flor de árido Arenal
¿Quién al almo distingue del Esclavo
quién codicia la Fama del Sultán?

Bajo el verde Dosel de un Libro amigo,
una Bota de Vino, blanco pan
tú a mi lado cantando y el Desierto
fuera de veras el Jardín de Alláh.

Unos buscan la Gloria de este Mundo
otros buscan la Gloria Celestial
Venga el Dinero en mano y vaya el Resto,
deja el Tambor lejano retumbar.

En el Jardín, desatan sus corolas
los floridos Rosales y nos dan
el áureo Polen y aromado Incienso
que las Brisas esparcen al pasar.

¡Las terrenales Ansias realizadas
Sombra de Polvo son y nada más!
como la Nieve en el Desierto brillan
un Instante fugaz . . . .

Oro atesores, despilfarres Oro.
La Tumba os mide con Criterio Igual
El barro de tu Cuerpo es siempre Barro
¡Y el barro de la Tierra abonará!

En este Albergue en ruinas cuyas Puertas
son Noches y son Dias ¡cuánto Afán!
¡Cuánto fiero Señor por breves Horas
detuvo el Paso y se volvió a marchar!

¡Los Patios de Jamshyd! donde su gozo
ardiera un día—albergan el chacal,
¡Silvestres Asnos pastan a su antojo
donde descansa el Cazador Bohrám!

Donde muriera el Paladín, las Rosas
como teñidas por su Sangre están
¿Sueñas acaso de que blanco Pecho
estos Jazmines dicen la Beldad?

Rubáiyát[17] *(Continuación)*

Y este Musgo viviente que tapiza
la Tierra de finísimo Lampás,
se leve a su Blandura, pues quién sabe
de que Cuerpo gentil llegó a brotar.

Llena le Copa que resguarda el Pecho
de torpe Miedo y de infantil Pesar
¡Mañana! ¿dónde me hallaré mañana?
¿cuando la Luz se apaga, donde va?

Cuando noble Varón de claro Empeño
en el Embate quieto del Azar
vació su Copa y se perdió en silencio
entre la Bruma Gris del Más-Allá.

Entretanto busquemos la Ventura,
que presto cesa, en el oscuro Umbral
donde la Muerte aguarda; Dime ¿sabes?
¿Ese hondo Lecho para quién será?

Gozad la Vida, fenecida pasa
A Nadas de insaciable Eternidad
Polvo de Polvo, sin Amor ni Amada
sin Vino, sin canción y sin soñar.

A cuantos se desvelan por las Cosas
de este Mundo o del Mundo que vendrá
un Muezín de la Torre grita: ¡Tontos!
La Recompensa no está aquí ni allá.

17   *Proa* 2.6 (1925): 61–68.

Los Santos y los Sabios que charlaban
de esto y de aquello en tono doctoral
como falsos Profetas se eclipsaron.
Tierra es su Boca, Tierra es su Verdad.

Deja charlar al Sabio, nuestras Vidas
Gotas son en la Sed del Arenal.
La Rosa muere y muere su Perfume
esto sabemos, ¡y no indagues más!

Cuando Joven cursé las Academias
del mucho discutir y fue tenaz
mi Empeño de Saber más por la Puerta
de Entrada, la Salida hube de hallar.

Yo sembré de Sapiencia mi Sendero
y el Desencanto solo vi brotar;
como resopla el Viento y corre el Agua
así la Vida viene, así se va.

¿Por qué he venido al Mundo, Quién responde?
¿Agua que corre ciega hasta la Mar?
¡Como el Agua y el Viento que no saben
por qué corren y soplan y se van!

¿Quién al Mundo nos trajo, quién nos lleva?
¿y donde iremos luego: a qué Avatar?
Llenad la Copa para ahogar en ella
El Recuerdo de tanta Necedad.

Al trono de Saturno en los Espacios
me elevé por el Séptimo Portal
y muchos Nudos desaté a mi Paso
pero no el Nudo del Humano Azar.

Hallé una Puerta que no tiene Llave
Un Velo que no pude penetrar;
hoy hablarán un poco de nosotros
y luego, no hablarán.

Entonces a la Altura interrogando
dije: ¿Qué Ley me guía, qué Verdad?
Y una Voz infinita respondióme:
Tienes un ciego Instinto y nada más.

En la Copa de Arcilla el Labio puse
el Enigma tratando de aclarar
Y ella me dijo: Mientras vive, bebe;
la avara Tumba nada te dará.

La Arcilla de esta Copa en otro Tiempo
un Bebedor alegre fue quizás
¡O cuánta Boca habrá besado el Barro
que hoy a mis labios de beber les da.

Recuerdo que una Tarde a un Alfarero
que una Copa moldeaba en el Bazar
la Arcilla dijo musitando apenas:
ten cuidado Hermanito, me haces Mal.

Llenad la Copa que la Vida alegra;
el Tiempo en fuga hacia la Nada va
Ayer ha muerto, por venir Mañana
con Hoy tan solo es lícito contar.

Palidecen los Astros, ya la Noche
toca a su Fin. ¡La Caravana! ¡Helás!
se apresta para el Alba de la Nada
¡En Marcha pues, el Paso apresurad!

¿Por qué estas Ansias que se agitan ciegas
en pos de un vano inasequible Ideal?
Mejor el Fruto de la fresca Viña
que el Fruto amargo que esas Ansias dan.

Venid hermanos y entonemos presto
de nuevas Bodas la Canción Nupcial,
la estéril Razón dejo y por Esposa
llamo al lecho la Hija de Lagar.

Arriba, Abajo, de derecha a izquierda
mi Lógica sondó la Realidad.
al Fondo de las Cosas no he llegado
sólo del Vaso el Fondo supe hallar.

Ha tiempo que a la Hora del Ocaso
un Ángel me detuvo en el Umbral
de la oscura Taberna y de sus Labios
el Fruto de la Vid me dio a probar.

El Fruto de la Vid que con severa
Elocuencia refuta el Razonar
de todas las Escuelas, Alquimista
Que el Plomo trueca en fúlgido Metal.

El gran Mahmúd que vence en un instante
las Penas de la triste Humanidad
y con su Fuerza mágica nos libra
de torpe Sombra y de más torpe Afán.

Venid conmigo y que discutan Sabios
del Universo el misterioso Plan;
también el Vino es elocuente y sabio,
y todo Enigma descifrar sabrá.

El Mundo es sólo el Cuadro iluminado
que arroja la Linterna del Juglar
cuya Vela es el Sol, y nuestras Vidas,
Sombras que vienen, Sombras que se van.

Y si el Vino que bebes y la dulce
Caricia de las Amada pasarán
como todo en la Vida pasa y muere
¿qué más ni menos te podrán quitar?

Bebe conmigo el Fruto de la Viña
mientras arda la Rosa en el Rosal
y cuando el Ángel de la Muerte tienda
a ti su Copa, riente beberás.

El Mundo es un tablero cuyos Cuadros
son Noches y son Días, y el Azar
a un antojo nos mueve como a Piezas
Luego —las Piezas a la Caja van.

La Mano escribe y pasa, y tu Ternura
tus Rezos, tu Saber o tu Piedad
no lograrán que vuelva o que rehaga
o borre aquello que ya escrito está.

Y esa Copa invertida que sustenta
el Cielo prometido del Korán
en su propia Impotencia rueda, rueda
ajena a todo Bien y a todo Mal.

Del Barro que dio el ser al primer Hombre
ha de formarse el último Mortal,
estaba escrito en la primera Mañana
lo que el postrer Crepúsculo dirá.

Los astros arrojaron en la Senda
de la Vida, su Sombra y su Pesar
En la Senda las Piedras están listas
donde los Pasos tropezando van.

Aúlle fuera el Derviche sus Plegarias
de la cerrada Puerta en el Umbral
Nunca insensato encontrará la Llave
que el Vino excelso, generoso da.

Tú que la Senda hiciste engañosa
donde debí perderme y tropezar,
no afirmes luego que la Culpa es mía
¡Tuyo es el Mundo, tuya es su Maldad!

Tú que moldeaste el Vaso de mi Cuerpo
en él vertiendo Sombas y Pesar
tú que el Edén hiciste y la Serpiente:
¡nuestro Perdón recibe y perdonad!

Cuando se extinga el Fuego que me anima,
mi cuerpo en rojo Vino lavarás
y en Pámpano silvestre amortajado
que descanse a la Sombra de un Parral.

Y mis Cenizas muertas al Ambiente
Fragancia tan sutil arrojarán
que hasta el Creyente absorto en su Plegaria
al grato Dogma de la Vid vendrá.

Los Ídolos que amara tanto tiempo
derrocharon ingratos mi Caudal
ahogaron mi buen nombre en una Copa
y al Barro denigrose mi Verdad.

¡Aymé! que el Tiempo pase, que las Rosas
una a una abandonen el Rosal,
que el blanco Velo de la Infancia ceda
¡al triste Luto de la triste Edad!

Oh dicha de mi Amor siempre constate,
La luna asoma en el Palmar su faz
Vendrá la Noche en que esa misma Luna
ha de buscarme y no me encontrará.

Y cuando tú como la Luna vuelvas
con pies de plata y no me encuentres ya
derrama el Vaso que jamás mi boca
en Noche alguna volverá a gustar.

¡Oh dicha de mi Amor! yo estaré quieto
tendido en tierra de una larga Paz
durmiendo el Sueño que no tiene sueños
ni auroras, ni inquietud, ni despertar.

Obras citadas

Baigorria, Osvaldo, comp. *Amor libre, eros y anarquía*. Buenos Aires: Protopia, 2006. http://es.protopia.at/index.php/Amor_Libre,_Eros_y_Anarqu%C3%ADa

Bioy Casares, Adolfo. *Borges*. Buenos Aires: Destino, 2006.

Borges, Jorge Guillermo. "El cantar de los cantares". *Gran Guignol* 1.2 (1920): 5-7.

—. *El caudillo*. Palma de Mallorca, 1921.

—. *El caudillo*. Buenos Aires: Academia Argentina de Letras, 1989.

—. *El caudillo*. Buenos Aires: Mansalva, 2009.

—. "Del poema de Omar Jaiyám". *Gran Guignol* 1.1 (1920): 8.

—. *Hipoteca naval*. Buenos Aires: L. Franzoni, 1897.

—. "Momentos". *Nosotros* 7.18 (1913): 147-48.

—. "Rubáiyát". *Proa* 1.5 (1924): 55-57.

—. "Rubáiyát (Continuación)". *Proa* 2.6 (1925): 61-68.

Borges, Jorge Luis. *Autobiografía*. Trad. Marcial Souto. Buenos Aires: El Ateneo, 1999.

Chávez, Fermín. "Borges, Francisco". *Diccionario Histórico Argentino*. Buenos Aires: Fabro, 2005. 79-80.

"Commentary on the Song of Songs". *The Jewish Studies Bible. Oxford Biblical Studies Online*.

FitzGerald, Edward. *Rubáiyát of Omar Khayyám*. Comp. Daniel Karlin. Oxford: Oxford UP, 2009.

González, Aníbal. *A Companion to Spanish American Modernismo*. Woodbridge: Tamesis, 2007.

Hadis, Martín. *Literatos y excéntricos: Los ancestros ingleses de Jorge Luis Borges*. Buenos Aires: Sudamericana, 2006.

Jrade, Cathy L. "Modernist Poetry". *The Cambridge History of Latin American Literature*. Comp. Roberto González-Echevarría y Enrique Pupo-Walker. Cambridge: Cambridge UP, 2008. 2: 7–68.

Karlin, Daniel. "Introduction". *Rubáiyát of Omar Khayyám*. By Edward FitzGerald. Oxford: Oxford UP, 2009. xi–xlviii.

Landy, Francis. "The Song of Songs". *The Literary Guide to the Bible*. Comp. Robert Alter y Frank Kermode. Londres: Fontana, 1997. 305–19.

León, Fray Luis de. *Cantar de los cantares de Salomón*. Comp. Javier San José Lera. *Biblioteca Virtual Miguel de Cervantes*. Web.

Ortelli, Roberto A. "Letras argentinas: *El Caudillo*, novela por Jorge Borges". *Nosotros* 17.166 (1923): 403–07.

Pagés Larraya, Antonio. "'El caudillo': Una novela del padre de Borges". *Repertorio Latinoamericano* (segunda serie) 5.36 (1979): 3–6.

Shakespeare, William. *Shakespeare's Sonnets*. Comp. John Kerrigan. Londres: Penguin, 1999.

Spencer, Herbert. *The Man Versus the State*. 1892. Caldwell, Idaho: Caxton Printers, 1960.

Spiller, Gustav. *The Mind of Man: A Text-Book of Psychology*. Londres: Swan Sonnenschein, 1902.

Stern, Elsie. "The Song of Songs". *The Jewish Study Bible. Oxford Biblical Studies Online*, 2009. Web.

Williamson, Edwin. *Borges, A Life*. Londres: Viking, 2004.